Emmanuelle Hirschauer

# Restos pas chers à Paris

FIRST
Editions

*Merci à celles et ceux qui m'ont aidée*
*en me conseillant des restaurants.*
*Un merci encore plus appuyé à Mérerine,*
*Touig, Marjolaine, Laloul et Catherine.*

ISBN : 978-2-7540-0370-4
Dépôt légal : 2e trimestre 2007
Imprimé en Italie
Conception couverture et cartographie : Bleu T

Édition : Élodie Le Joubioux

Conception graphique : Georges Brevière

Nous nous efforçons de publier des ouvrages qui correspondent à vos attentes et votre satisfaction est pour nous une priorité.
Alors, n'hésitez pas à nous faire part de vos commentaires à :

Éditions First
27, rue Cassette, 75006 Paris
Tél : 01 45 49 60 00
Fax : 01 45 49 60 01
e-mail : firstinfo@efirst.com

En avant-première, nos prochaines parutions, des résumés de tous les ouvrages du catalogue. Dialoguez en toute liberté avec nos auteurs et nos éditeurs. Tout cela et bien plus sur Internet à www.efirst.com

# Introduction

Un guide des restos pas chers répond forcément à une sélection établie de façon subjective. Il y a tellement d'établissements à Paris...

Précisons donc que cette compilation ne prétend pas être exhaustive. Son but est tout simplement de vous permettre de trouver partout dans Paris une bonne adresse pour déjeuner ou dîner. Pourquoi ne pas conserver ce petit livre dans votre sac ou dans la poche de votre manteau ? En cas d'une soudaine envie de crêpes, vous saurez alors qu'on sert d'excellentes galettes rue de Charonne. Ou encore : si vous vous retrouvez affamé à Saint-Lazare, vous aurez plusieurs options sous la main. Cela devrait vous éviter de manger dans le premier fast-food venu, faute de bien connaître le quartier.

Comment consulter cet ouvrage ? Outre les index (par arrondissement et alphabétique), vous trouverez pour chaque établissement cité les intitulés « Dans l'assiette » et « Ambiance ». En un coup d'œil, vous aurez ainsi le portrait du restaurant. Si votre appétit est titillé, lisez alors la description et les informations pratiques qui suivent. Ne reste plus ensuite qu'à savourer…

À Paris, nombre de restaurants ne pratiquent pas les mêmes prix à midi que le soir. Le pictogramme « Bon plan du midi » vous indique donc une adresse aux tarifs épicés pour le dîner, mais qu'on peut sans problème se payer au déjeuner. Nous avons également crédité d'un « Coup de cœur » une douzaine d'adresses, nos préférées, à consommer selon nous sans modération…

Ultime précision : tous les renseignements contenus dans ce guide sont purement indicatifs, les restaurants étant libres de changer leurs jours d'ouverture, horaires et tarifs.

## Abréviations utilisées

| | |
|---|---|
| < : inférieur à | mar. : mardi |
| avr. : avril | mer. : mercredi |
| bd : boulevard | nov. : novembre |
| CB : carte bleue | oct. : octobre |
| déc. : décembre | pers. : personne |
| dim. : dimanche | pl. : place |
| jeu. : jeudi | sam. : samedi |
| lun. : lundi | tlj : tous les jours |
| M° : métro | ven. : vendredi |

# 1ER ARRONDISSEMENT

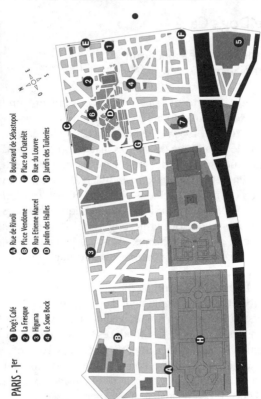

**PARIS - 1er**

1 Dog's Café
2 La Fresque
3 Higuma
4 Le Sous Bock

A Rue de Rivoli
B Place Vendôme
C Rue Etienne Marcel
D Jardin des Halles

E Boulevard de Sébastopol
F Place du Chatelet
G Rue du Louvre
H Jardin des Tuileries

# Le Dog's Café

**Dans l'assiette :** américain
**Ambiance :** New York, New York !

Sur la carte du *Dog's Café*, on peut lire une phrase de Paul Morand, écrite lors d'un voyage à New York en 1930 : « C'est un coin de petites échoppes, de boutiques de crèmes glacée où l'on vend ces saucisses chaudes populaires sorties de l'eau bouillante et servies en sandwich dans un pain que l'on nomme "chiens-chauds". » Cette citation décrit la spécialité du lieu : d'authentiques *hot-dogs* préparés avec soin et accompagnés de pommes de terre sautées. Présentée dans des petits paniers, une ribambelle de condiments (moutarde américaine douce, moutarde forte, ketchup, cornichons, etc.) permet d'agrémenter le plat à son goût. Mais le restaurant sert également de délicieux hamburgers, qui n'ont rien à voir avec ceux qu'on trouve dans les chaînes de fast-food. Les deux tranches de pain sont présentées séparément dans l'assiette, l'une garnie, l'autre qu'on referme soi-même sur le tout. À déguster également de la cuisine tex-mex, ou encore des milk-shakes tellement copieux qu'ils peuvent presque faire office de repas. Plutôt que la salle à l'étage, on préfère le rez-de-chaussée et ses baies vitrées, ou encore mieux, la terrasse les beaux jours, pour une contemplation de la foule hétéroclite qui déambule dans le quartier des Halles. Du côté du mobilier, c'est du *vintage* : les sièges pivotants proviennent des bars de Chicago, l'éclairage, des rues de Montréal, et les appliques murales, des entrepôts frigorifiques de Memphis. Pendant qu'on déjeune, Marilyn Monroe, dont des photos ornent les murs, nous gratifie de son légendaire sourire…

➻➙ **Adresse** – 65, rue Saint-Denis, Paris 1ᵉʳ, Mᵒ Les Halles, tél. : 01 42 21 37 24.

**Horaires** – Ouvert tlj de 11 h 30 à minuit.

**Tarifs** – Menu lunch à 10 €. Menu étudiant (servi à toute heure) à 8,60 €. Brunch (servi tlj) à 9,90 €. À la carte : compter entre 10 et 20 €.

# La Fresque

⊗ **Dans l'assiette :** bistrot revisité
   **Ambiance :** conviviale

Le poisson, la viande, les légumes, tout ce que vous mangez à *La Fresque* est acheté à Rungis à 2 heures du matin. Un endroit où le choix et la préparation des produits revêtent tant d'importance, et ce au cœur des Halles, mérite le détour. À midi surtout, où le menu comprenant entrée, plat et boisson (ou plat, dessert et boisson) permet, pour 13,50 €, de manger délicieusement. Beaucoup d'habitués viennent ici, appréciant le fait que la formule change quotidiennement et privilégie les goûts de chacun. On a en effet tous les jours le choix entre cinq ou six entrées, et du côté des plats, entre deux viandes, un poisson et un plat végétarien. Selon ses préférences, on se rassasie d'un bœuf miroton accompagné de purée à l'ancienne, d'une tourte aux légumes, d'un chou farci, d'un gigot d'agneau, d'un filet de rascasse au beurre d'estragon et aux olives, etc. À l'époque des anciennes Halles, les lieux étaient occupés par une boutique d'escargots et une poissonnerie. Aujourd'hui, ils s'organisent en plusieurs salles, dont une belle cave voûtée, auxquelles s'ajoute une terrasse (chauffée l'hiver). De jolies fresques (d'où le nom du resto...) datant des années 1970-1980 ornent les murs de la pièce principale, espace non-fumeur. La clientèle réunit des commerçants des Halles, des riverains, des artistes, des touristes, des journalistes... En bref, *La Fresque* n'est pas un endroit formaté, mais plutôt un rendez-vous pour tous ceux qui souhaitent faire un bon repas à un prix convenable près des Halles.

**Adresse –** 100, rue Rambuteau, Paris 1ᵉʳ, M° Les Halles ou Étienne Marcel, tél. : 01 42 33 17 56.

**Horaires –** Ouvert tlj sauf le dim. (2 services : 12 h-15 h 30 et 19 h-minuit).

**Tarifs –** Midi : formule « entrée + plat + boisson » à 13,50 € (+ café : 15 €). Assiette « Méga » (3 entrées) à 12 €. À la carte : compter 15-20 €. Soir : à la carte uniquement, compter 20-25 €.
**À noter –** Réservation conseillée pour les groupes, surtout le soir.

# Higuma

**Dans l'assiette :** cuisine japonaise populaire
**Ambiance :** cantine

L'Ours – la traduction de *Higuma* – est une cantine japonaise bien connue de la rue Sainte-Anne. Des autographes de clients aux murs – dont l'un date de 1962 – montre que le restaurant est apprécié depuis longtemps dans le quartier. Autre preuve de sa qualité : la plupart des dédicaces ont été écrites par des Japonais, signe qu'ils retrouvent à Paris les mêmes saveurs que dans les cantines populaires de leur pays. Ici, pas de *sushi*, mais des *lamen* (également orthographiés *ramen*), soupes à base de viande et de pâtes fraîches dont on raffole dans le nord du Japon. Déclinées en plusieurs recettes, elles sont toutes copieuses et bon marché (de 7 à 9 €). La *Butter Corn Lamen* regroupe ainsi dans son gros bol, outre les pâtes fraîches, du maïs, des pousses de bambou, du porc, des germes de soja, le tout plongé dans un bouillon dans lequel fond une noix de beurre. Les autres stars de la maison s'appellent *gyoza*, un ravioli croustillant (5,50 € les 7 pièces), le meilleur du genre dans Paris selon les amateurs, et *chahan*, un riz sauté agrémenté d'une foule d'ingrédients. Des menus permettent d'associer ces plats pour une dizaine d'euros. On mange dans l'une des trois salles, dont l'une est un espace non-fumeur. Si vous êtes seul, trompez l'ennui en vous installant au comptoir, les premières loges pour observer le travail des cuisiniers (gare quand même aux jets de flammes !). Vous pouvez aussi feuilleter l'un des mangas de la bibliothèque en accès libre (à condition toutefois de lire le japonais). Un établissement jumeau existe à quelques rues de là (cf. ci-dessous), mais les puristes ne jurent que par celui de la rue Sainte-Anne.

**Adresse** – 32 bis, rue Sainte-Anne, Paris 1er, Mº Pyramides, tél. : 01 45 39 37 40 (et aussi : Higuma Palais Royal, 163, rue Saint-Honoré, Paris 1er, tél : 01 58 62 49 22).

**Horaires** – Ouvert tlj de 11 h 30 à 22 h.

**Tarifs** – À la carte uniquement : compter 10-12 €.

**À noter** – Ne prend pas de réservation. Pas de chèque. Pas de CB pour un montant ‹ 23 €.

# Le Sous Bock

**Dans l'assiette :** Sud-Ouest, moules frites et…
bières !
**Ambiance :** conviviale

Parmi les lecteurs de ce guide, il y a certainement des gars. C'est à eux surtout que l'on conseille cette adresse, pour s'y retrouver entre mâles.

Explication : cet établissement aux allures de taverne propose plus de 150 bières différentes. Elles sont chères, mais la rareté de certaines à Paris explique sans doute leur prix.

Parmi les représentantes des régions françaises, citons la Bourganel ardéchoise aux myrtilles (6,50 € les 33 cl), l'Ouessane aux algues (6,50 € les 33cl), l'Oldarki au patcharan (7 € les 33 cl). L'Allemagne, l'Espagne, le Canada, etc., rivalisent avec l'indétrônable Belgique et sa Duvel (6,50 € les 33 cl, 12,50 € la bouteille de 75 cl), sa Kriek, sa Leffe et une liste impressionnante d'autres breuvages fermentés, aux noms parfois facétieux (Vapeur cochonne). En accompagnement, la maison sert gratuitement le soir des amuse-gueules chauds. Pour manger plus copieusement, on fait son choix parmi des plats simples, comme les moules frites (marinières, crème, curry, roquefort, piperade) entre 9 et 12 €. La cuisine du Sud-Ouest est également à l'honneur, et pour cause : l'autre particularité du lieu, c'est le rugby. Ici, on supporte le SU Agen et on se réunit pour la diffusion des matches. Quand on vous dit que c'est une adresse pour les gars ! Mais rassurez-vous : les filles y sont très bien reçues, l'auteur de ces lignes peut en témoigner.

➻→ **Adresse –** 49, rue Saint-Honoré, Paris 1ᵉʳ, Mᵒ Les Halles, tél. : 01 40 26 46 61.

**Horaires –** Ouvert tlj de 10 h à 5 h (service continu).

**Tarifs –** Midi : formule à 12 €. Soir : formule à 14 €. À la carte (midi et soir) : axoa authentique à 11 € ; piperade à 9 € ; moules frites entre 9 et 12 € ; salades entre 8 et 10 €.

# 2ᴱ ARRONDISSEMENT

PARIS - 2e

Ⓐ Place de l'Opéra
Ⓑ Bourse de Paris
Ⓒ Bibliothèque Nationale
Ⓓ Boulevard de Sébastopol
Ⓔ Rue Montmartre
Ⓕ Boulevard Poissonnière
Ⓖ Rue de Réaumur

❶ Domaine de Lintillac
❷ La Cantoche Paname
❸ Pierre
❹ Noura
❺ Le Tambour

# Domaine de Lintillac

### Dans l'assiette : Sud-Ouest
### Ambiance : conviviale

*« Pour plus de détails, voir l'article consacré au Domaine de Lintillac dans le 9ᵉ arrondissement (cf. p. 62). »*

➻➙ **Adresse –** 10, rue Saint-Augustin, Paris 2e, tél : 01 40 20 96 27.

# La Cantoche Paname

### Dans l'assiette : bistrot traditionnel
### Ambiance : bon enfant

Élèves Lionel et Romain, la maîtresse vous donne 20/20 ! Les deux associés de *La Cantoche Paname*, tout juste trentenaires, se sont connus au bac à sable. Après quelques années passées dans l'événementiel, ils ont monté, il y a un an, une affaire qui prospère (« Youplaboum ! »), à l'angle des rues Montmartre et Réaumur. On aime leur carte, imprimée sur une page de cahier d'écolier, sur laquelle sont inscrits des commentaires facétieux à côté de l'énoncé des plats. Pas de choux de Bruxelles dans cette « cantoche », mais les meilleurs souvenirs de l'enfance revisités façon bistrot (jambon-purée, œuf cocotte, etc.). Le « dessert de maman » (9 € en raison sa taille) est « préparé avec amour » – *dixit* la carte – à base de gaufre, de pain perdu, de Nutella et de chantilly. Sur l'ardoise, plats, entrées et desserts changent très souvent. Le vendredi, les filles ont souvent leur soirée : tarifs préférentiels, ventes privées, etc.

**⇢ Adresse –** **97, rue Montmartre, Paris 2ᵉ, Mᵒ Bourse ou Sentier,** tél. : 01 40 41 09 62. Site Internet – www.lacantochepaname.com.

**Horaires –** Ouvert du lun. au ven. de 8 h (18 h le lun.) à 1 h et le sam. de 18 h à 2 h.

**Tarifs –** Petit déjeuner : viennoiseries + café au comptoir à 2,50 €. Midi : formule « Express » (quiche ou salade + 1 café) à 8,50 €. Plat du jour à 10,50 €. Formule entrée + plat ou plat + dessert à 12,50 €. Formule entrée + plat + dessert à 14,50 €. À la carte (midi et soir) : compter 20-25 €. Happy Hour « Apérobic » 18 h-20 h : cocktail et champagne à 6 €, et bière à 2 €.

**À noter –** Réservation conseillée pour les groupes le soir.

# Pierre

**Dans l'assiette :** voyage autour du monde
**Ambiance :** caviste chic

C'est l'histoire d'un skipper, Pierre Le Maout, qui après avoir bien navigué décida de créer un lieu réunissant deux de ses passions : les voyages et le vin. Le résultat ? Un restaurant pas comme les autres, à commencer par sa situation à côté du palais Brongniart, dans un bâtiment classé datant du XVIIIe siècle. Les colonnes qui ont donné leur nom à la rue adjacente sont toujours là, et c'est sous leur protection qu'est installée la terrasse (chauffée l'hiver). À l'intérieur, pierres et poutres d'origine côtoient une déco design très réussie. Partout, notamment dans la superbe cave au sous-sol, les bouteilles exposées attestent de l'importance qu'on accorde ici aux vins, sélectionnés dans le monde entier (France, mais aussi Californie, Chili, Australie, Hongrie, Grèce, etc.). Le verre est à 4 €. Quant aux bouteilles, elles sont relativement chères, mais vu leur qualité, faut-il s'en étonner ? L'équipe jeune et sympa sert en apéritif-dînatoire des mets inspirés de tous les horizons (assiette de charcuterie italienne à 6,50 €, tartine mexicaine à 9,80 €, etc.), et on peut aussi faire un vrai repas à prix intéressant grâce aux formules proposées (cf. ci-dessous). Attention quand même : un verre de bon vin a tendance à en appeler un autre, et l'addition peut être salée si l'on n'est pas vigilant. Téléphoner avant de venir, pour s'assurer que le restaurant n'a pas été réservé par un groupe.

➼ **Adresse** – 10, rue de la Bourse, Paris 2ᵉ, M° Bourse, tél. : 01 40 15 16 17. Site Internet – www.pierre-cave.com.

**Horaires** – Ouvert, tlj sauf le dim., de 12 h à 15 h et de 18 h 30 à 23 h.

**Tarifs** – Midi et soir : formule « Pierre » à 15,50 € (1 plat du jour ou 1 pasta au choix + 1 verre de vin du jour ou 1 Badoit/Evian 50 cl + 1 café). Formule « Bourse » à 19,50 € (1 entrée au choix + 1 assiette « Bourse » au choix). « L'étape du jour » (le plat du jour) à 12,80 €. Le verre de vin du jour à 4 €.

# Noura

**Dans l'assiette** : libanais
**Ambiance** : chic

*Pour plus de détails, voir l'article consacré à Noura dans le 16ᵉ arrondissement (cf. p. 122).*

➻➙ **Adresse** – 29 bd des Italiens, Paris 2ᵉ, tél : 01 53 43 00 53.

# Le Tambour

♡ **Dans l'assiette** : bistrot traditionnel
**Ambiance** : « Ah Paris… Paris !… Toujours Paris ! »

Attention ! Institution ! L'auteur de ces lignes a passé ici de longues heures pendant ses années d'études (nostalgie, quand tu nous tiens…). Autoproclamé « bistrot de l'urbain bucolique baudelairien », l'affaire montée il y a une quinzaine d'années par Dédé Camboulas – cinquante ans de métier – est à nulle autre pareille. C'est d'abord un bistrot parisien où l'on mange bien et à (presque) toute heure ; et puis il y a une foule de détails auxquels on attache peu d'importance au début, et qui font pourtant le sel et le succès du lieu, à l'image de l'aquarium tropical que les adultes ne voient pas puisqu'il se trouve au niveau du sol, mais qui fascine d'emblée les enfants. On aime aussi *Le Tambour* pour ce qui saute aux yeux, c'est-à-dire le mobilier urbain du Paris d'autrefois : anciens arrêts de bus, plans de métro, authentiques pavés au sol ; le fait de passer derrière le bar – comme un VIP – pour accéder à la véranda chauffée donnant sur une rue piétonne ; ou encore les journaux mis à disposition des clients, etc. Tout est à la carte : ça peut donc être cher ; mais la soupe à l'oignon gratinée à 8 €, les salades (italienne, landaise, saumon fumé, chavignol) entre 10 et 14 €, ou encore la bavette à l'échalote à 13 €, sont à la portée de toutes les bourses. Le nom de l'établissement, Dédé le justifie notamment par les dernières lignes des *Lettres de mon moulin*, d'Alphonse Daudet. Le narrateur décrit un « tambour » – jeune soldat – nostalgique du bon temps passé dans une caserne de la capitale : « Ah Paris… Paris !… Toujours Paris ! » Ici, cette phrase prend tout son sens.

➤➤ **Adresse –** 41, rue Montmartre, Paris 2ᵉ, Mº Sentier, Les Halles ou Étienne Marcel, tél. : 01 42 33 16 73.

**Horaires –** Ouvert  du mar. au sam. de 12 h à 15 h et tlj de 18 h à 6 h (service jusqu'à 1 h le lun., 3 h 30 les mar., mer., jeu. et dim., et jusqu'à 4 h les ven. et sam.).

**Tarifs –** À la carte uniquement : compter 20 à 25 €.

# 3E ARRONDISSEMENT

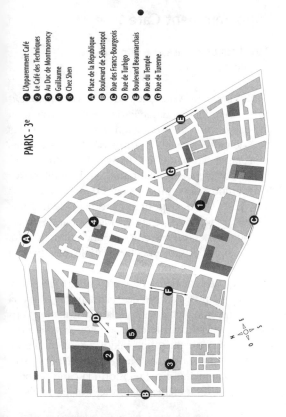

PARIS - 3e

1. L'Apparement Café
2. Le Café des Techniques
3. Au Duc de Montmorency
4. Guillaume
5. Chez Shen

A. Place de la République
B. Boulevard de Sébastopol
C. Rue des Francs-Bourgeois
D. Rue de Turbigo
E. Boulevard Beaumarchais
F. Rue du Temple
G. Rue de Turenne

# L'Apparemment Café

**Dans l'assiette :** assiette sur mesure
**Ambiance :** cosy

Esprit joueur, vous allez adorer *L'Apparemment Café* ! Où ailleurs dans Paris peut-on trouver à disposition un *Pictionary*, un *Trivial Pursuit*, des jeux de cartes et toutes sortes de divertissements pour taper la partie en famille ou entre amis, confortablement installé dans un fauteuil cosy ? Murs lambrissés et lumières tamisées créent de surcroît le cadre idéal pour un moment de détente. L'aspect ludique se prolonge jusque dans la prise de commande, qui ressemble à une partie de loto. Pour manger, il faut en effet remplir une fiche à cocher. De ce que vous inscrivez dépend la composition de votre salade ou de votre brunch. Hésiterez-vous longtemps, comme nous l'avons fait, entre la case « emmental » et la case « edam » ? Copierez-vous sur votre voisin pour le choix de votre assaisonnement (citronette ou sauce bikini allégée, huile de tournesol ou sauce au bleu ?). Cet aspect « sur-mesure » est jubilatoire. Précision : la carte propose également des quiches et tourtes salées (mais là, pas de fiche à cocher).

➼ **Adresse –** 18, rue des Coutures-Saint-Gervais, Paris 3ᵉ, M° Saint-Sébastien-Froissart ou Filles du Calvaire, tél. : 01 48 87 12 22.

📖 **Horaires –** Ouvert tlj, sauf le dim., de 12 h à 2 h (2 services : 12 h-14 h 30 et 19 h 30-23 h 30) et le dim. de 12 h 30 à minuit (brunch de 12 h 30 à 16 h).

💶 **Tarifs –** À la carte : compter 12-20 €. Brunch : 15,50-20 €.
**À noter –** Réservation fortement conseillée.

# Le Café des techniques

**Dans l'assiette :** sain et frais
**Ambiance :** une bouffée d'air dans Paris

Comme chez son « grand frère » *À toutes vapeurs* (cf. p. 54), *Le Café des techniques* a fait sa spécialité de délicieux paniers vapeur. Également à la carte, des verrines – gros bocaux en verre – remplies de mélanges délectables (ex. : fonds d'artichaut, haricots verts, magret fumé, foie gras). Le dimanche, le restaurant propose un brunch sur le principe d'un buffet à l'italienne, avec viennoiseries, salades de pâtes, etc. Situé dans l'enceinte du musée des Arts et Métiers, *Le Café des techniques* installe des tables l'été dans la cour intérieure de l'édifice : une terrasse comme on en rêve à Paris. Voir aussi l'article consacré à *La Guinguette à vapeurs* dans le 19ᵉ arrondissement (cf. p. 147).

**➤➤ Adresse –** Musée des Arts et Métiers, 60, rue Réaumur (accès direct par le 292, rue Saint-Martin), Paris 3ᵉ, tél. : 01 53 01 82 83.

**Horaires –** Ouvert du mar. au dim. de 10 h à 18 h.

**Tarifs –** À la carte : compter 12-20 €. Brunch (le dim.) : 19,50 € (avec l'entrée du musée).

## Au Duc de Montmorency

**Dans l'assiette :** tout simplement bon
**Ambiance :** épicerie fine

« La simplicité est la marque des grands » : ces mots, de Jacques Higelin, définissent bien Laurent Delcros. Depuis six ans, ce Meilleur Apprenti de France 1984 a décidé de faire simple. Chez lui, on mange un plat, un dessert et un café pour dix euros tout rond. Et c'est bon. Le chef cuisine dans la salle. Du coup, les clients ont le plaisir de s'approcher de la gazinière pour observer et choisir, encore sur le feu, les plats variés proposés tous les jours : thon grillé à la catalane, civet de canard aux raisins, échine de porc au poivre vert, tartiflette, etc. Quant aux desserts, le *must* est le moelleux au chocolat (recette secrète de Laurent Delcros, élaborée à l'âge de 20 ans). Installé dans une ancienne épicerie fine, le lieu en conserve le charme suranné. On peut même faire quelques menus achats (vin, bière, café, riz, tube de crème de marrons…). Pour manger, on s'installe seul ou en petit comité autour de guéridons, juchés sur de hauts tabourets ; ou bien côte à côte sur la longue table centrale ; ou encore, en assemblée, sur celle qui fait face à la rue. La presse est à disposition, une guitare – celle de Laurent Delcros – trône sur son socle, et l'accueil de Laurent et de sa serveuse Isabelle est exceptionnel. Après Higelin, citons Brassens : ici, c'est le « rendez-vous des bons copains ». Il n'y a qu'à voir les habitués qui discutent avec Laurent comme de vieux « poteaux ». Au Duc de Montmorency n'a pas reçu par hasard le Fooding de la meilleure cantine en 2001.

**⇢ Adresse** – 46, rue de Montmorency, Paris 3ᵉ, M° Arts et Métiers, Rambuteau ou Étienne Marcel, tél. : 01 42 72 18 10. Site Internet – www.avecousansauce.com.

**Horaires** – Ouvert en continu du lun. au ven. de 7 h 30 à 20 h 30 et le sam. de 9 h 30 à 16 h. Fermé le dim.

**Tarifs** – Plat + dessert à 9 €. Plat + dessert + café à 10 €. Entrées variées (au poids) : compter 3,50 € pour une grosse assiette. Plat seul à 7,90 €. Dessert à 1,80 €. Café à 1 €. Verre de vin (du tonneau) à 1,80 €.

**À noter** – La maison fait également traiteur pour toutes sortes d'événements (cf. tél. et site Internet ci-dessus).

# Guillaume

**⊗ Dans l'assiette** : cuisine fusion
**Ambiance** : *hype*

Ce volume impressionnant, situé dans une rue calme du Marais, est nimbé de lumière grâce à une verrière signée… Gustave Eiffel ! C'est une adresse *hype*, avec exposition de photos aux 1ᵉʳ et 2ᵉ étages, et une cuisine inventive. On le recommande pour midi à ceux qui ont un budget réduit. En effet, les deux formules proposées pour le déjeuner sont vraiment sympas et pas ruineuses. Il y a bien sûr la traditionnelle « entrée + plat » ou « plat + dessert » à 15,50 €, qui vous fera savourer par exemple des nems de thon ou un poulet basquaise et son riz thaï. Mai aussi un concept plus original, intitulé « 3 petites assiettes », à 12,50 €. Dans ce cas, on compose soi-même son menu à partir de la liste sur l'ardoise, en mélangeant sucré et salé si on le souhaite. Ça peut donner ceci : petit pot de guacamole, muffin de saint-marcellin, et enfin chaud-froid de mangue gratiné au mascarpone. Le tout est servi en même temps, ce qui permet de picorer de l'une à l'autre assiette. L'équipe – jeune et branchée – s'entend bien, et ça se ressent dans le service bon enfant et sympathique. Une adresse idéale pour un déjeuner tranquille et plutôt classieux. Le soir, les prix grimpent.

**⇒ Adresse –** 32, rue de Picardie, Paris 3ᵉ, Mᵒ Temple, tél. : 01 44 54 20 60.

**Horaires –** Ouvert tlj, sauf le dim., de 11 h (18 h le sam.) à 2 h (2 services : 12 h 30-15 h et 19 h 30-23 h).

**Tarifs –** Midi : formule « entrée + plat » ou « plat + dessert » à 15,50. Formule « 3 petites assiettes » (3 salées ou 2 salées + 1 sucrée) à 12,50 €. Soir : À la carte uniquement : compter

30-35 €. Bubble Hours (17 h 30-19 h 30) – Cocktails à 6,50 € (+ 1 crostini : 9 €).

**À noter –** Réservation quasi-indispensable le soir. Pas de chèque. Pas de ticket restaurant le soir.

## Chez Shen

**Dans l'assiette :** chinois
**Ambiance :** cantine

Poulet aux amandes, travers de porc poivre et sel, spécialités de nouilles, pâtes et vermicelles sautés, excellents *Banh bao* (brioches vapeur à la viande)… Mais aussi soupes, canard laqué, raviolis… La carte de cette cantine chinoise est à rallonge et affiche des prix défiant toute concurrence. Le restaurant se trouve à l'extrémité de la rue au Maire, un coin du Marais aux airs de village. Dans une salle relativement petite, on mange installés à de grandes tables, côte à côte avec des inconnus. Cette ambiance de cantine peut en rebuter certains, mais c'est justement ce principe – « on ne mange pas sur les genoux de son voisin, mais presque » – qui plaît aux *aficionados*. Ça permet en effet de lorgner le plat du monsieur d'à côté, d'engager la conversation avec lui sur ce qu'il mange, et de choisir la même chose si ça semble appétissant. Une fois qu'on a choisi, on attend à peine, le service étant ultra rapide. La clientèle est principalement asiatique le matin – pour le petit déjeuner à la chinoise – ainsi que l'après-midi, et plutôt européenne à l'heure du dîner. À midi, tout ce petit monde se rassemble pour le déjeuner. Le restaurant propose aussi la vente à emporter. D'où cette tendance chez certains à passer commande, le casque de scooter sur la tête, et le portable coincé tant bien que mal entre le casque et l'oreille. La preuve qu'une fois qu'on y a goûté, *Chez Shen* vaut bien un détour, même pour les Parisiens pressés.

**➻ Adresse –** 39, rue au Maire, Paris 3ᵉ, Mᵒ Arts et Métiers, tél. : 01 48 87 88 07.

**Horaires –** Ouvert tlj de 9 h à 23 h (service continu).

**Tarifs –** 6-15 €.

# 4ᴱ ARRONDISSEMENT

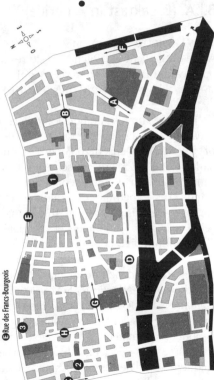

**PARIS - 4ᵉ**

Ⓐ Boulevard Henri-IV
Ⓑ Rue Saint-Antoine
Ⓒ Boulevard de Sébastopol
Ⓓ Quai de l'Hôtel de Ville
Ⓔ Rue des Francs-Bourgeois
Ⓕ Boulevard Bourdon
Ⓖ Rue de Rivoli
Ⓗ Rue Beaubourg

❶ BIA (Breakfast in America)
❷ Les Piétons
❸ La Strada

## B.I.A. (Breakfast in America)

**Dans l'assiette :** américain
**Ambiance :** celle du Pitch Peat, le restaurant
où travaille Brandon (pour ceux qui connaissent
la série télévisée *Beverly Hills 90210*).

Imaginez un restaurant le long de la route 66 et
vous aurez une bonne idée du concept de *Breakfast
in America*. Ouvert en 2003 par l'Américain Craig
Carlson dans le 5ᵉ arrondissement (cf. p. 40), BIA
compte désormais une seconde adresse dans Le
Marais. Les expatriés américains et les Parisiens
amateurs de cuisine made in America savourent ici
petits déjeuners, hamburgers et spécialités tex-mex.
C'est l'endroit rêvé pour commander des sodas in-
trouvables ailleurs (Root Beer, Dr Pepper) et agrémenter son sandwich de moutarde douce comme
on l'aime outre-Atlantique. Si vous commandez un
*Bottomless Mug O' Joe* (« jus de chaussettes » à volonté), l'une des serveuses – toutes anglophones –
viendra fréquemment à votre table vous remplir
votre tasse d'un délicieux café léger. En semaine, et
uniquement à l'heure du déjeuner, deux formules
– l'une pour les étudiants à 7,50 €, l'autre proposée

à tout le monde à 9,95 € – satisfairont les petits porte-monnaies. Attention ! L'espace étant réduit, il n'est pas rare de devoir patienter dans la rue avant qu'une table se libère. Autre recommandation : penser à laisser un pourboire, comme cela est d'usage aux États-Unis.

➵ **Adresse** – 4, rue Malher, Paris 4ᵉ, Mᵒ Saint-Paul, tél. : 01 42 72 40 21. Site Internet – www.breakfast-in-america.com.

**Horaires** – Ouvert tlj de 8 h 30 à 23 h. Du lun. au sam. : petit déjeuner servi toute la journée, déjeuner et dîner de 12 h à la fermeture. Le dim. : brunch de 8 h 30 à 23 h, déjeuner et dîner de 16 h à 23 h. Happy Hour : du lun. au ven. de 17 h à 21 h.

**Tarifs** – 12-20 €.

**À noter** – Restaurant non-fumeur. Pas de chèque.

# Les Piétons

**Dans l'assiette** : espagnol
**Ambiance** : comme dans un film de Pedro Almodóvar

Si vous aimez l'Espagne et qu'elle vous manque, vous pouvez venir chercher du réconfort aux *Piétons*, un bar-restaurant du Marais où la sangria coule à flots (le verre à 4 €, le pichet d'un litre à 20 €). En accompagnement, on a la possibilité de déguster toute une série de *tapas* chaudes et froides à prix raisonnable (4 € la ration plutôt copieuse). Parmi nos préférées : les *patatas bravas* (pommes de terre sauce piquante), les *champiñones y alcachofas al ajillo* (petits champignons accompagnés d'artichauts sautés à l'ail et au persil), le *chorizo a la sidra* (chorizo au cidre, miam !) et le *gazpacho* (traditionnelle soupe froide andalouse). Pour le même prix, on peut aussi commander une *plancha* (tapas servies sur du pain de campagne), et si l'appétit est toujours là, craquer pour l'un des plats typiques (*paella, pollo al ajillo*, etc.) à moins de 15 €. La grande salle, un univers chaudement décoré, est agencé autour d'un long bar derrière lequel s'active une armada de serveurs. Tous arborent un T-shirt orné d'un taureau, le logo de l'établissement. En groupe, vous apprécierez la musique diffusée – espagnole, ça va de soi ! – et l'ambiance animée le soir. Si vous cherchez plus de calme, installez-vous en terrasse, à l'une des petites tables donnant sur la rue piétonne.

**➻➻ Adresse** – 8, rue des Lombards, Paris 4e, M° Rambuteau, tél. :

01 48 87 82 87. Site Internet – www.lespietons.com.

**Horaires** – Ouvert tlj de 12 h à 2 h.

**Tarifs** – À la carte : compter 15-20 €. Brunch-buffet le dim. : 22 €. Happy Hour : de 16 h à 20 h.

**À noter** – Réservation conseillée pour le diner.

# La Strada

**Dans l'assiette** : italien
**Ambiance** : paisible

Suivez la route (*la strada*) qui vous mène du Centre Pompidou jusqu'à cette petit salle qui compte 25 couverts tout au plus. C'est un assemblage de bric et de broc, mais pas pour autant un bric-à-brac. Rien n'est là par hasard, tout trouve sa place : les affiches des chefs-d'œuvre de Fellini (*Huit et demi*, *La Dolce Vita* et bien sûr *La Strada*), la carte de l'Italie politique et économique (du genre de celles que les maîtresses d'école accrochent au mur de la classe), les paquets de farine rouges et verts entreposés en hauteur (ils composent, avec le mur clair, les couleurs du drapeau italien). Il y a aussi une bannière du *Calcio Catania*, club de football sicilien. Normal puisque Leo, Francesco et Fabio sont originaires de Sicile. Jeunes, beaux et bronzés, on les imaginerait volontiers jet-setters. En fait, les VIP c'est vous et moi qui venez mangez chez eux. Comprenez : ici, c'est tout sauf une usine, on vous laisse le temps de choisir tranquillement votre plat, de savourer et de discuter. La pizzas sont délicieuses, notamment la Diavola au saucisson piquant (14 €). Pour 10 à 13 €, on peut aussi faire son repas d'un plat de pâtes. Enfin, une ardoise propose des suggestions entre 15 et 18 €. Une cuisine fraîche et honnête qu'on peut conclure par la dégustation d'un dessert de jour (7 €).

➻➤ **Adresse –** 6-10 rue Geoffroy-L'Angevin, Paris 4ᵉ, Mᵒ Rambuteau, tél. : 01 40 27 93 67.

**Horaires –** Ouvert tlj, sauf le dim et le sam. midi (2 services : 12 h-14 h 30 et 19 h-23 h 30).

**Tarifs –** À la carte et à l'ardoise : compter 20 €.

**À noter –** Pas de chèque. Vente à emporter (retirer 1 € par rapport aux prix de la carte). Réservation conseillée le week-end.

# 5ᴇ ARRONDISSEMENT

**PARIS – 5ᵉ**

1. BIA (Breakfast in America)
2. El Sol y La Luna / Mexi and Co
3. Villa Broca

A. Hôpital du Val-de-Grâce
B. Jardin des plantes
C. Boulevard Saint-Germain
D. Place Valhubert
E. Rue Gay-Lussac
F. Rue Mouffetard
G. Boulevard Saint-Marcel

# B.I.A. (Breakfast in America)

**Dans l'assiette :** américain
**Ambiance :** celle du Pitch Peat.

*Pour plus de détails, voir l'article consacré à B.I.A. dans le 4ᵉ arrondissement (cf. p. 34).*

**→→ Adresse** – 17, rue des Écoles, Paris 5ᵉ, Mᵒ Maubert-Mutualité, tél. : 01 43 54 50 28.

# El Sol y La Luna / Mexi and Co

**Dans l'assiette :** latino-américain
**Ambiance :** dépaysante

L'Amérique latine en plein Quartier latin, c'est possible ! La patron, colombien, fait goûter les plats de chez lui et des pays voisins, comme le *pabellon criollo* (bœuf effilé, haricots noirs, banane plantain frite et riz blanc). Le lundi, la carte change pour se concentrer exclusivement sur le Venezuela. C'est une bonne adresse pour un repas entre amis avec qui partager joyeusement un (ou plusieurs) pichet(s) de *margarita* (11 € les 50 cl). De l'autre côté du pâté de maison, *El Sol y La Luna* a un frère jumeau : *Mexi and Co*. Ce restaurant intimiste et tout mignon a fait sa spécialité des *burritos* (galettes de blé farcies mexicaines). L'établissement fait également office d'épicerie fine où l'on trouvera les authentiques conserves de haricots noirs qui permettent de concocter un *chili con carne* digne de ce nom.

➳ **Adresse** – El Sol y La Luna : 31, rue Saint-Jacques, Paris 5ᵉ, tél. : 01 43 54 41 56. Mexi and Co : 10, rue Dante, Paris 5ᵉ, tél. : 01 46 34 14 12. Mᵉ Maubert-Mutualité. Site Internet – www.mexiandco.fr.

**Horaires** – Ouvert tlj de 12 h à 23 h.

**Tarifs** – El Sol y La Luna – Midi : formule à 10 € (entrée + plat ou plat + dessert ou plat + boisson). Soir : formule à 26 € (cocktail + entrée + plat + boisson). À la carte : compter 20 €. Mexi and Co – À la carte uniquement : compter 10 €.

**À noter** – El Sol y La Luna – Réservation conseillée. Mexi and Co – Pas de réservation.

# Villa Broca

**Dans l'assiette** : vietnamien-chinois
**Ambiance** : sereine

À la Villa Broca, du côté des Gobelins, vous serez accueilli quoiqu'il arrive par des beignets aux crevettes offerts par la maison. Après cet apéritif, notre conseil, c'est un *Bo Bun* – littéralement « bœuf vermicelles » en vietnamien – une salade tiède et copieuse que Monsieur Long prépare comme personne. Outre le bœuf à la citronnelle et les vermicelles de riz, vous trouverez dans votre bol des nems et des crudités de première fraîcheur, le tout agrémenté de menthe, de cacahuètes concassées et d'échalotes grillées : un délice. La carte propose d'autres spécialités, dont des fondues vietnamiennes et chinoises (39,50 € à diviser par deux puisqu'elles sont à partager avec un autre convive). Du côté de la décoration, rien à signaler, ni en bien, ni en mal : c'est sobre. Du coup, on se concentre sur le contenu (savoureux) de son assiette.

➡ **Adresse –** 10-12, rue Broca, Paris 5ᵉ, Mᵒ Gobelins ou Censier-Daubenton, tél. : 01 43 31 73 85.

🔲 **Horaires –** Ouvert tlj, sauf le dim. midi, de 12 h à 15 h et de 19 h à 23 h.

🔲 **Tarifs –** Midi : Menu à 10 €. Midi et soir : menu (entrée + plat + dessert) à 13,50 €. À la carte : compter 20 €.

**À noter –** Salle non-fumeur. Pas de CB pour un montant < 15 €.

# 6ᴱ ARRONDISSEMENT

PARIS - 6ᵉ

Ⓐ Jardin du Luxembourg
Ⓑ Boulevard St-Germain
Ⓒ Rue de Rennes
Ⓓ Boulevard du Montparnasse
Ⓔ Rue de Vaugirard
Ⓕ Boulevard Saint-Michel

❶ Kiwi Corner
❷ Le Mâchon d'Henri
❸ Noura
❹ Pakito

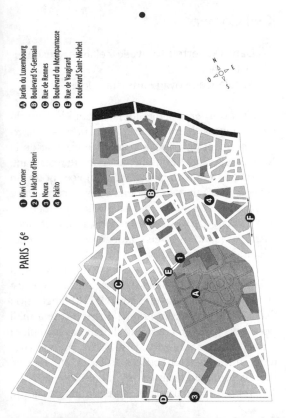

# Kiwi Corner

ⓧ **Dans l'assiette :** Nouvelle-Zélande, Australie
   et Pacifique Sud
   **Ambiance :** voyage aux antipodes

*Kiwi Corner* désigne littéralement « le coin du kiwi », non pas le fruit, mais plutôt *Anteryx australis*, autrement dit l'oiseau coureur, emblème de la Nouvelle-Zélande. En pénétrant dans le restaurant, on quitte le quartier de Saint-Sulpice pour un voyage aux antipodes. Le dépaysement commence avant même de goûter les plats, grâce à la décoration : totem et *tiki* (fresque) maoris, fougères (*fern tree*) évoquant les forêts luxuriantes de Nouvelle-Zélande, et photos des sommets enneigés de ce pays d'îles et de contrastes. Des livres disposés çà et là permettent de combler ses lacunes (Quelle est la capitale de la Nouvelle-Zélande ? Wellington ou Oakland ?). Côté gastronomie, on se régale à midi pour trois fois rien grâce aux différentes formules : tourte typique néo-zélandaise (*Pie*), pommes de terre au four (*Jacket Potatoes*), salades, etc. Le soir, les prix grimpent, mais les plats sont plus élaborés : *Ika Mata* (thon cru mariné dans du jus de citron, servi avec du lait de coco et de la coriandre), filet de kangourou australien assaisonné de sauce barbecue fumée et de purée à l'ail, etc. On peut enfin prendre le temps, un dimanche, de venir déguster un brunch sucré ou salé, mais toujours copieux, servi au prix unique de 18 € (12 € pour les enfants). Pour ceux qui veulent améliorer leur anglais : *Kiwi Corner* est le siège d'un club de conversation (payant) qui se réunit plusieurs fois par semaine (téléphoner pour plus d'informations).

**⇢ Adresse –** 25, rue Servandoni, Paris 6<sup>e</sup>, M° Odéon, tél. : 01 46 33 12 06. Site Internet – www.kiwicorner.fr.

**Horaires –** Ouvert tlj., sauf le dim., de 12 h à 15 h et de 18 h à 23 h (2 services le soir les jeu., ven. et sam.). Le dim., de 11 h à 15 h 30 (brunch uniquement).

**Tarifs –** Midi : formule « entrée ou salade + plat » ou « plat + dessert » à 15 €. Formule « plat du jour + dessert » à 12,50 €. Formule « Pie ou Jacket Potato + dessert » à 9,80 €. Soir : « Menus Pacifique » (entrée + plat + dessert) à 25,50 € et 29,50 €. Brunch (le dim. de 11 h 30 à 15 h 30) à 18 € (12 € pour les enfants).

**À noter –** Salle non-fumeur. Réservation conseillée le soir.

# Le Mâchon d'Henri

**Dans l'assiette :** bistrot traditionnel
**Ambiance :** paisible

« MÂCHON n.m. Région. (Lyonnais). Restaurant où l'on sert un repas léger ; ce repas. » La définition du *Petit Larousse* décrit bien ce repaire pour gourmands situé dans la rue Guisarde, tout près du marché Saint-Germain. Quelques bouteilles bien alignées décorent ce lieu intimiste, meublé de tables de bistrot au plateau de marbre. Les midis de semaine, vous aurez affaire à Didier, qui assure un service impeccable. Le repas commence immanquablement par quelques rondelles de saucisson ou un peu de pâté offert en guise d'apéritif. Le prix des entrées varie entre 6 et 7 €, celui des plats de 12 à 13 €. C'est l'endroit rêvé pour déguster tranquillement une cuisine traditionnelle bien préparée (museau vinaigrette, terrine de foie de volaille, tripes à la mode de Caen, saucisson chaud à la lyonnaise). Quant aux desserts, la carte compte nombre de tartes concoctées par Hassan. Celle aux figues fraîches (en saison uniquement) est à tomber par terre.

**Adresse –** 8, rue Guisarde, Paris 6ᵉ, Mᵒ Mabillon, tél. : 01 43 29 08 70.

**Horaires –** Ouvert tlj (2 services : 12 h-14 h 30 et 19 h-23 h).

**Tarifs –** À la carte uniquement : compter 20-25 €.

**À noter –** Réservation conseillée le soir, spécialement le week-end.

# Noura

**Dans l'assiette** : libanais
**Ambiance** : chic

*Pour plus de détails, voir l'article consacré à Noura dans le 16ᵉ arrondissement (cf. p. 122).*

**Adresse –** 121, bd Montparnasse, Paris 6ᵉ, tél : 01 43 20 19 19.

# Pakito

**Dans l'assiette** : basque
**Ambiance** : comme à Bayonne

*Pour plus de détails, voir l'article consacré à Pakito dans le 9ᵉ arrondissement (cf. p. 63).*

**Adresse –** 15 rue Monsieur-Le-Prince, Paris 6ᵉ, tél. : 01 43 54 63 47.

# 7ᴱ ARRONDISSEMENT

Ⓐ Quai d'Orsay
Ⓑ École Militaire
Ⓒ Boulevard Saint-Germain
Ⓓ Parc du champ de Mars
Ⓔ Avenue de Suffren
Ⓕ Rue Saint Dominique
❶ Dorraine de Lintillac
❷ Les Mouettes

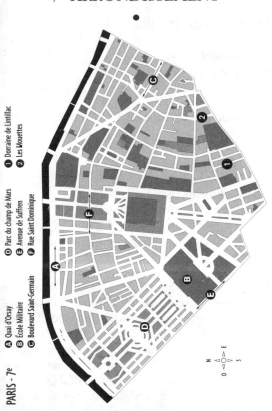

# Domaine de Lintillac

**Dans l'assiette :** Sud-Ouest
**Ambiance :** conviviale

*Pour plus de détails, voir l'article consacré au Domaine de Lintillac dans le 9ᵉ arrondissement (cf. p. 62).*

➳→ **Adresse –** 20, rue Rousselet, Paris 7ᵉ, tél. : 01 45 66 88 23.

# Les Mouettes

**Dans l'assiette :** bistrot traditionnel
**Ambiance :** brasserie parisienne

Tintement des couverts, ronronnement de la machine à café et discussions des habitués assis sur les banquettes en moleskine : nous voici dans une authentique brasserie parisienne, animée et joyeuse sans pour autant être bruyante. On déjeune ici d'un des plats du jour sans cesse renouvelés (exemple : bœuf bourguignon à 10 €), d'un croque Poilâne, d'une salade ou d'une crêpe maison (entre 4,30 € et 6,30 €). Une vraie bonne adresse dans le quartier du Bon Marché, d'où l'on ressort heureux comme une mouette rieuse et rassasiée.

➤➤ **Adresse –** 130, rue du Bac, Paris 7ᵉ, M° Sèvres-Babylone, tél. : 01 45 48 71 53.

**Horaires –** Ouvert tlj, sauf le dim., de 6 h 30 à 20 h (service continu).

**Tarifs –** À la carte : compter 15-20 €.

**À noter –** salle non-fumeur.

# 8ᴱ ARRONDISSEMENT

1. A toutes vapeurs
2. Capriccio
3. Lizarran
4. Au petit Pouchet

A. Gare Saint-Lazare
B. Arc de Triomphe
C. Parc de Monceau
D. Avenue des Champs-Élysées
E. Boulevard Malesherbes
F. Boulevard Haussmann

PARIS - 8ᵉ

# À toutes vapeurs

**Dans l'assiette :** sain et frais
**Ambiance :** une bouffé d'air dans Paris

Le concept ? On choisit des assortiments de produits crus présentés en vitrine, on paie à la caisse, puis on est livré à table, une fois que le mets a été cuit à la vapeur sèche en un temps record. Exemples : « Saint-Jacques, lieu noir, champignons de Paris et girolles », « filet de caille mariné aux graines de sésame, légumes et tagliatelles », paniers de fruits chauds, etc. Robert Petit, créateur de cette idée géniale, a monté deux autres restaurants, avec toujours en tête cette volonté de manger sainement : *La Guinguette à vapeurs*, dans le parc de La Villette (cf. p. 147) et *Le Café des techniques*, dans l'enceinte du Musée des arts et métiers (cf. p. 25).

**Adresse –** 7, rue de l'Isly, Paris 8e, tél : 01 44 90 95 75.

**Horaires –** Ouvert tlj, sauf le dim., de 11 h à 23 h (service continu).

**Tarifs –** À la carte : compter 12-20 €.

# Capriccio

**Dans l'assiette :** italien
**Ambiance :** réconfortante

Au *Capriccio*, « il y a toujours de la place » : pro-
noncez avec l'accent italien, à la façon de Paolo
qui alpague gentiment les passants devant le restaurant. Paolo, c'est l'accueil du *Capriccio*, un bel
homme qui a le don pour remonter le moral des
femmes, même les jours de petite mine. Un mot de
lui, couplé à son humour, fait qu'on se sent soudain aussi séduisante (ou presque) que Monica
Bellucci. En plus, il a raison : il y a toujours de la
place, même si la salle est petite. Du comptoir, on
a une vue imprenable sur Enrico, qui prépare en
un tour de main d'excellentes escalopes *milanese*
et des recettes de pâtes transmises par sa maman.
Parmi nos préférées, les « chef » (champignons, persil, oignons) et les « capriccio » (tomate, crème, mozzarella), mais le choix ne s'arrête pas là et change
régulièrement. Accompagné d'un verre de rosé
(2 €), c'est le bonheur. Beaucoup de « cols blancs »
travaillant près de Saint-Lazare ont fait de ce restaurant ouvert uniquement le midi leur cantine, parce

qu'on y mange bien, mais aussi parce que Paolo et Enrico sont drôles, élégants et généreux. S'il fallait résumer le *Capriccio* en un mot, *tiramisu* conviendrait bien : c'est bien entendu un dessert italien au café, qu'on peut commander ici, mais sa traduction – « tire-moi en haut », autrement dit « remonte-moi le moral » – décrit aussi très bien l'endroit.

➜ **Adresse –** 33, rue du Rocher, Paris 8ᵉ, Mᵒ Saint-Lazare ou Europe, tél. : 01 45 22 38 11.

**Horaires –** Ouvert du lun. au ven. de 12 h à 15 h.

**Tarifs –** 10-15 €.

**À noter –** Le Capriccio fait aussi traiteur à domicile ; téléphoner pour plus de renseignements.

## Lizarran

**Dans l'assiette :** basque
**Ambiance :** espagnol

Voici le seul représentant parisien de la chaîne de restaurants espagnole *Lizarran*. Situé dans le quartier huppé de Saint-Augustin, dans une belle salle où la pierre côtoie des murs couleur bordeaux, le restaurant marie la convivialité et l'élégance. Convivialité car on choisit soi-même au comptoir, comme au Pays basque, les *pintxos* (le « x » se prononce « ch »), des amuse-bouches servis sur des tranches de pain à 1,30 € l'unité (ne pas jeter les piques qui sont dessus car ils servent à calculer l'addition). Élégance, car on est tout de même dans le 8ᵉ arrondissement, et ça se sent dans le service réalisé par un ballet de jeunes hommes courtois et efficaces. Outre la paella à 13,50 €, les salades à 9,50 € et des plats de viandes et de poissons, on peut faire son repas d'un assortiment de *tapas*, ces mini-plats espagnols chauds ou froids : *tortilla* (omelette espagnole), crevettes à l'ail, j*amón serrano* (jambon cru), fromage, etc. Les gourmands succomberont en dessert à une crème catalane (5,50 €) ou à un sorbet de *patxaran* (prunelle) avec son petit verre de liqueur que l'on nomme *chupito* (6,90 €).

➻→ **Adresse** – 128, bd Haussmann, Paris 8ᵉ, Mᵒ Miromesnil, tél. : 01 44 69 09 29.

[ᴼᵁᵛᴱᴿᵀ] **Horaires** – Ouvert tlj, sauf le dim., de 8 h à 2 h (service continu de 11 h à 23 h).

**Tarifs –** « Menu Tapas » (1 froide + 1 chaude + 1 boisson) à 15,50 €. « Menu Rapido » (1 plat du jour + 1 dessert du jour) à 18,50 €. À la carte : compter entre 15 et 22 €.
**À noter –** Concerts les mer. et sam. soir. Réservation conseillée le midi, spécialement le vend.

## Au Petit Pouchet

**Dans l'assiette :** bistrot traditionnel
**Ambiance :** convivial

Ouvert par la même équipe que celle du *Pere Pouchet* et de *La Mère Pouchet* (cf. pp. 130 et 91), *Au Petit Pouchet* est en quelque sorte l'enfant du couple, appartenant à la même famille des bonnes adresses servant une cuisine traditionnelle dans une ambiance sympathique. La déco vient d'être refaite, dans la veine « petit bistrot moderne ». On y mange les midis de semaine en fonction d'une carte-ardoise qui change tous les jours. Faites votre choix parmi des plats simples dont voici quelques exemples : œuf mayo ou pâté de campagne en entrée, entrecôte fleur de sel ou boudin antillais en plat, sans oublier des desserts à choisir parmi des fromages blancs, fromages affinés, pâtisseries variées, etc. Les jeudis et vendredis soir, *Au Petit Pouchet* ferme plus tard, avec la possibilité de commander différentes assiettes (planches océane, périgourdine, charcutière), des crêpes et des *bruschettas*. *Au Petit Pouchet*, digne fils de ses parents, est un bon plan pour manger tranquillement et convenablement dans le quartier pressé-stressé de Saint-Lazare.

➥ **Adresse –** 33, rue du Rocher, Paris 8ᵉ, M° Saint-Lazare ou Europe, tél. : 01 45 22 29 42.

**Horaires –** Ouvert du lun. au mer. de 8 h à 16 h (jusqu'à 23 h les jeu. et ven.).

**Tarifs –** Midi : menu « entrée + plat + boisson » ou « plat + dessert + boisson » à 14,50 €. Jeu. et ven. soirs : compter environ 13 € pour une assiette.

# 9E ARRONDISSEMENT

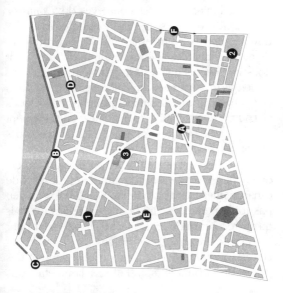

PARIS - 9e

1 Domaine de Lintillac
2 Pakito
3 Sizin

A Rue La Fayette
B Place Pigalle
C Place de Clichy
D Avenue Trudaine
E Place d'Estienne D'Orves
F Rue du Faubourg Poissonnière

# Domaine de Lintillac

**Dans l'assiette :** Sud-Ouest
**Ambiance :** conviviale

Le concept est imprimé sur la carte : « de la basse-cour à votre assiette, aucun intermédiaire ». Des produits frais et des conserves du *Domaine de Lintillac*, dans les Landes, sont en effet livrées directement dans ce restaurant du 9ᵉ arrondissement. Au final, des spécialités du Sud-Ouest dont nous ne citerons que les plus emblématiques : cassoulet gastronomique au confit de canard (11,10 €) et magret de canard mulard pommes salardaises (10,30 €). Gourmands, vous allez certainement avoir du mal à ne pas craquer pour l'un des blocs de foie gras de canard ou d'oie proposés en entrée (de 9,40 à 13,75 €). Quant aux appétits pantagruéliques, ils se partageront à quatre le « Foie gras de canard entier façon grand-mère » (32,90 €). Un lieu pas forcément conseillé pour un tête-à-tête, mais qu'on recommande en revanche chaudement pour un repas entre amis. Les non-fumeurs apprécieront ce restaurant qui exclut le tabac à l'exception des vendredis et samedis soir. Enfin, si la recette vous a plu, sachez que deux autres *Domaine de Lintillac* existent à Paris, dans les 2ᵉ et 7ᵉ arrondissements (cf. pp. 16 et 50)

⇢ **Adresse** – 54, rue Blanche, Paris 9ᵉ, M° Blanche, tél. : 01 48 74 84 36. Site Internet – www.lintillac-paris.com.

**Horaires** – Ouvert du lun. au ven. (2 services : 12 h-15 h et 19 h-22 h 30, jusqu'à 23 h le ven.) et le sam. soir de 19 h à 23 h. Fermé le dim.

**Tarifs** – Midi : « Formule express pour gens pressés » (petite tartine de rillettes + petit boudin noir aux châtaignes avec pommes de terre salardaises + cabécou fermier) et à la carte. Soir : à la carte uniquement : compter 10-25 €.

**À noter** – Réservation conseillée le soir. Restaurant entièrement non-fumeur (sauf ven. et sam. soirs).

# Pakito

**Dans l'assiette :** basque
**Ambiance :** comme à Bayonne

« P » comme Pays basque ; « A » comme axoa (prononcer a-cho-a), un émincé de veau qu'on peut manger au déjeuner tout comme d'autres plats et produits de cette région (piperade, charcuteries, fromage de brebis, etc.) ; « K » parce que c'est une lettre récurrente de la langue basque ; « I » comme l'intervalle dans lequel les joueurs de rugby cherchent à jouer et que l'on suit ici à l'écran avec passion dès qu'il y a un match d'importance ; « T » comme les tapas entre 3 et 4 € dont on fait son repas le soir ; et « O » comme « *On dagizula !* » (« À la bonne vôtre ! » en basque), à l'image de l'assemblée décontractée qui se réunit le soir rue Rougemont autour d'un verre de rioja ou d'une bière basque. Au final, les lettres assemblées donnent Pakito, un nom inspiré par *Paquito Chocolatero*, célèbre mélodie jouée par les fanfares bayonnaises. Emmanuel Reynier a voulu (et réussi) reconstituer à deux pas des grands boulevards (et dans ses trois autres établissements, cf. pp. 00, 000 et 000) un refuge accueillant aux couleurs de Bayonne, ville dont il est originaire. Autres infos utiles : possibilité d'organiser des soirées privées les lundis soir ; vente à emporter le midi ; *corner* épicerie ; et enfin – avis aux amateurs ! –, le café (1,30 € au bar + 0,50 € en salle ou en terrasse), c'est du Nespresso.

**⤳ Adresse –** 11, rue Rougemont, Paris 9ᵉ, Mᵒ Grands Boulevards, tél. : 01 47 70 78 93. Site Internet – www.pakito.fr.

**Horaires –** Ouvert du lun. soir au sam. de 11 h à 15 h et de 19 h à 1 h (fermé le sam. midi). Consulter le site Internet pour les horaires des autres Pakito.

**Tarifs –** Midi : menus à 11,80 € et 16,80 €. Menu « sandwich chaud » à 6,80 € (1 sandwich chaud + 1 boisson). Soir : tapas uniquement (entre 3 et 4 € la ration et 3,50 € environ pour les boissons).

# Sizin

**⊗ Dans l'assiette :** turc
**Ambiance :** chaleureuse

Cette adresse agit comme une thérapie. Témoignage d'Emmanuelle H. : « Je me suis rendue chez *Sizin* un jour de petite forme. L'accueil remarquable qui m'a été réservé ainsi que le succulent repas que j'y ai fait m'ont redonné goût à la vie. Était-ce la saveur de la purée de tomate piquante en entrée ? La brochette de poulet grillée au feu de bois que j'avais choisie en plat (en accompagnement : boulgour et crudités) ? Le fait que je ne me sois pas ruinée (13,90 €) ? Ou la gentillesse des propriétaires de ce restaurant de gastronomie turque ? Peut-être tout ça à la fois. » En turc, *sizin* signifie « chez soi », et de fait, on se sent merveilleusement bien ici. Le soir, les nappes en tissu remplacent celles en papier, et c'est alors l'endroit idéal pour un dîner entre amis, avec au centre de la table un assortiment de grillades au feu de bois – le restaurant en a fait sa spécialité – et de *mezze* : feuilles de vigne farcies, *houmous* (purée de pois chiche au sésame), *borek* (feuilleté au fromage), etc.

➻➔ **Adresse** – 47, rue Saint-Georges, Paris 9ᵉ, Mᵒ Saint-Georges, tél. : 01 44 63 02 28. Site Internet – www.sizin-restaurant.com.

**Horaires** – Ouvert tlj, sauf le dim., de 12 h à 14 h 30 et de 19 h à 23 h.

**Tarifs** – Midi : menu à 13,90 € (entrée + plat + dessert ou entrée + plat + boisson). Soir : à la carte : compter 25-30 €.

**À noter** – Réservation fortement conseillée.

# 10ᴱ ARRONDISSEMENT

**PARIS - 10ᵉ**

1. Le Balbuzard Café
2. Le Bourgogne
3. Le Cambodge
4. Pink Flamingo

A. Hôpital Saint-Louis
B. Gare du Nord
C. Gare de l'Est
D. Place de Stalingrad
E. boulevard Magenta
F. Place de la République

# Le Balbuzard Café

**Dans l'assiette :** mi-bistrot, mi-corse
**Ambiance :** familiale

Nous qui ne connaissions pas du tout la gastronomie corse, nous avons appris des tas de mots (et de saveurs nouvelles) au *Balbuzard Café*. Prenons par exemple la planche « Balbuzard » servie le soir (13 €). Les ramequins et victuailles dont elle est couverte mettent l'eau à la bouche rien qu'à les énumérer : tomates au *bruccio* (fromage de brebis), *figatelli* (saucisson corse) aux lentilles, supions (petits calmars), terrine de sanglier, pommes de terre sautées, poivrons marinés, anchois frais, jambon corse et confiture de figues… Également à l'ardoise, des entrées, plats et desserts aux saveurs de l'île de Beauté. À midi, le bistrot traditionnel prend le pas sur la cuisine corse, et les prix sont tout doux (menus à 11, 12 et 12,50 €). Pour déjeuner, on a vraiment le choix : tous les jours, le chef propose une viande, un poisson, une tarte chaude, une salade, et prend la peine de varier les recettes quotidiennement. Au fait, que signifie « balbuzard » ? C'est un oiseau de proie pêcheur, une espèce protégée, dont une trentaine de couples vit en Corse.

>→ **Adresse** – 54, rue René-Boulanger, Paris 10ᵉ, M° République, tél. : 01 42 08 60 20.

**Horaires** – Ouvert tlj, sauf le dim., de 11 h 30 à minuit (2 services : 11 h 30-15 h et 19 h-minuit).

**Tarifs** – Midi : Plat du jour à 8 €. Menus à 11 € (entrée + plat ou plat + dessert et café) ; 12 € (entrée + plat + dessert) ; 12,50 € (entrée + plat + dessert + boisson). Soir : formule à 19 € (entrée + plat + dessert). À la carte : compter 25 €.

**À noter** – Réservation conseillée. Soirées musicales le week-end (guitare et chant).

# Le Bourgogne

**Dans l'assiette** : traditionnel
**Ambiance** : conviviale

Alors que les berges du canal Saint-Martin connaissent une « boboïsation » galopante avec l'apparition récente de moult boutiques et restos branchés, *Le Bourgogne*, lui, ne change pas d'un iota, et c'est tant mieux ! Ce qu'on aime justement, c'est le fait d'y retrouver à chaque fois les nappes à carreaux rouges et blancs, et l'assurance de faire un bon repas pour pas cher. Les menus changent tous les jours, avec un traitement de faveur pour le bœuf bourguignon proposé une fois par semaine quoi qu'il arrive. Faut-il ajouter que l'ambiance est aussi conviviale que l'addition est légère ? Enfin, pour la petite histoire, le nom du restaurant date du XIX$^e$ siècle, lorsqu'il fut créé par – vous l'avez deviné – des Bourguignons ; mais vous en entendrez aussi parler sous le nom « Chez Maurice », le maître des lieux qui vient de prendre sa retraite. C'est sa fille Céline qui est aujourd'hui aux commandes.

➻➙ **Adresse –** 26, rue des Vinaigriers, Paris 10$^e$, M° Jacques-Bonsergent, tél. : 01 46 07 07 91.

**Horaires –** Ouvert du lun. au ven. (2 services : 11 h45-14 h15 et 19 h-23 h) et le sam. soir.

**Tarifs –** Midi : menus à 9 €, 10 €, 12,50 € et 15 €. Soir : menus à 11,50 €, 12,50 €, 14 € et 17,50 €.

**À noter –** Réservation conseillée le samedi soir et quel que soit le jour si vous êtes nombreux.

# Le Cambodge

**Dans l'assiette** : cambodgien
**Ambiance** : familiale

C'est une histoire de famille. Madame Ben et son mari ont longtemps tenu un restaurant cambodgien à Montparnasse. Au grand dam des nombreux habitués, il a fermé il y a une quinzaine d'années. C'était sans compter avec Kirita, la fille du couple, qui a déniché en 1997 une ancienne boulangerie près du canal Saint-Martin. *Le Cambodge* était relancé ! Depuis, la jeune femme et sa maman concoctent des plats savoureux en cuisine, tandis que l'accueil est assuré par Christian, le mari de Kirita, entouré d'une équipe dynamique. La spécialité, c'est la soupe Phnom-Penh – porc haché, crevettes, soja, piment et citron – à 8 €. Elle s'inspire de celle qu'on mange dans les rues de la capitale cambodgienne et constitue à elle seule un repas. Le *Bo Bun* – délicieux – coûte 7 €, le poisson au gingembre 9,50 €, etc. Avec des tarifs comme ceux-ci, les clients affluent, et il ne faut donc pas s'étonner de devoir se serrer un peu pour manger (ce n'est pas l'endroit idéal pour un tête-à-tête amoureux). On passe toutefois un agréable moment dans ce restaurant qui a d'ailleurs revu toute sa décoration il y a quelques mois. Détail amusant : on inscrit soi-même sa commande sur une petite feuille. Le hic ? On ne peut pas réserver. Voici tout de même deux conseils simples pour trouver une table : 1/ soit arriver dix minutes avant l'ouverture et prendre place dans la file d'attente ; 2/ soit se déplacer, et s'il n'y a pas de place, laisser son numéro de téléphone portable et aller boire un verre dans les parages en attendant que le restaurant appele dès qu'une table s'est libérée.

➡→ **Adresse** – 10, av. Richerand, Paris 10e, M° Jacques-Bonsergent, Goncourt ou Gare de l'Est, tél. : 01 44 84 37 70. Site Internet – www.lecambodge.fr.

**Horaires** – Ouvert tlj, sauf le dim. et jours fériés, de 12 h à 14 h 30 et de 20 h à 23 h 30.

**Tarifs** – À la carte uniquement : compter 15 €. À noter – Pas de réservation (lire plus haut). On ne fume pas à l'intérieur, mais seulement en terrasse (véranda l'hiver). Pas de CB pour un montant ‹ 15 € (pour une somme inférieure, Le Cambodge établit un avoir de la différence, valable six mois). Pas de ticket restaurant le soir. Possibilité de vente à emporter : téléphoner pour commander.

# Pink Flamingo

♥ **Dans l'assiette :** les pizzas de Jamie
   **Ambiance :** bulle rose

Cette adresse, on l'a découverte par hasard, un soir que l'on marchait dans une petite rue discrète à deux pas du canal Saint-Martin. La façade affichait un flamand rose. Derrière la vitre, on a aperçu deux jeunes hommes installés sur des bancs autour d'une grande table. On a décidé de pousser la porte. « Commande ta pizza à côté », nous ont-ils dit, « et puis reviens t'asseoir, quelqu'un te l'apportera ». Eux, c'étaient des clients. Et voilà le concept : on commande au numéro voisin la pizza que l'on veut dévorer, et on la déguste dans « La salle d'à côté », auquel on n'a accès seulement par la rue. On peut aussi venir chercher sa pizza et l'emporter, ou se faire livrer chez soi à vélo dans le 10ᵉ arrondissement. L'été, c'est encore mieux : pour peu qu'on décide de s'installer au bord du canal, on repart de la pizzeria avec un ballon gonflé à l'hélium qui sert aux livreurs à repérer les clients. Côté saveurs, les habitués plébiscitent la pizza Ho Chi Minh (poulet, gambas, curry vert, lait de coco…), la Basquiat (gorgonzola et figues recouvertes de jambon cru d'Auvergne), la Macias (poulet cuisiné façon « tajine ») et, de façon générale, toutes les créations de Jamie l'Américain qui a monté cette incroyable affaire avec sa compagne Marie, une comédienne française. L'énoncé des desserts résume bien leur créativité et leur envie de s'amuser : pizza au Nutella ou au crumble, mousse au Toblerone, tiramisu maison, etc. Ce couple hors norme a créé un lieu *arty* qui ne ressemble à aucun autre. On a l'impression d'être dans une bulle rose. Le café est gratuit, les livres et revues en libre accès, les expositions fréquentes. Leur ami Jean-Paul Dias a assuré une bonne partie de la décoration, notamment celle des toilettes : un espace bleu lagon couvert de cartes postales évoquant le surf (ne manque plus que le bruit des vagues et la musique des Beach Boys).

**⇢ Adresse –** 67, rue Bichat, Paris 10ᵉ, M° Gare de l'Est, Jacques-Bonsergent ou Goncourt, tél. : 01 42 02 31 70.

**Horaires –** 12 h-15 h et 19 h-23 h 30. Mai-oct : ouvert tlj sauf le lun. midi. Nov-avr. : ouvert le midi du mar. au ven., et tous les soirs sauf le lun. Fermé une dizaine de jours autour de Noël, et du 10 au 30 août.

**Tarifs –** 15-20 €. À noter – Il est possible de réserver la salle pour des événements (anniversaire, goûter d'enfants) : téléphoner pour plus de renseignements. « La salle d'à côté » est non-fumeur.

# 11ᴱ ARRONDISSEMENT

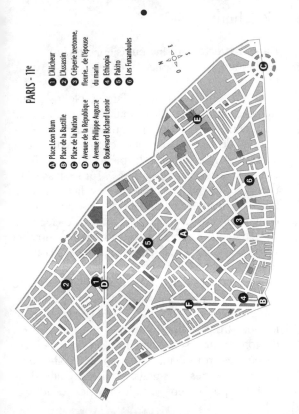

FARIS - 11e

A Place Léon Blum
B Place de la Bastille
C Place de la Nation
D Avenue de la République
E Avenue Philippe Auguste
F Boulevard Richard Lenoir

1 L'Alicheur
2 L'Assassin
3 Crêperie bretonne, fleurie... de l'épouse du marin
4 Ethiopia
5 Pakito
6 Les Funambules

# L'Alicheur

**Dans l'assiette :** cuisine eurasienne légère
**Ambiance :** sur le pouce

*L'Alicheur* ou comment faire le plein de vitamines en un repas. Idéal pour les personnes qui travaillent dans le quartier qui s'étend entre les stations de métro Parmentier et Saint-Maur, cette adresse permet d'éviter le piège du steak frites qui reste sur le ventre ou pire… sur les fesses. La cuisine, d'inspiration asiatique, est faite sans friture. Le principe : des aliments de base à mélanger, composer et assaisonner avec une sauce légère à choisir selon ses goûts (soja, provençale, curry ou la spéciale « Alicheur »). Quels ingrédients ? D'abord une ribambelle de petits légumes de saison prédécoupés. Cuits dans un bouillon, ils sont ensuite associés à du riz, des nouilles ou des macaronis de riz. On y ajoute enfin une viande (bœuf ou poulet), des fruits de mer (crevettes et calamars), ou du tofu pour les végétariens. Citons également les entrées croustillantes, dénommés « rolls », également garanties sans graisse puisque cuites dans un four spécial, ainsi que les soupes, salades et sandwiches. En dessert, on se régale d'un roll banane ou poire, d'une salade de fruits exotiques ou d'un flan coco. Au niveau des tarifs, la maison propose des formules très intéressantes (cf. ci-dessous). À qui doit-on tout ça ? À Rethori, qui se fait souvent aider par son petit frère, et surtout par sa maman. C'est elle qui concocte régulièrement le plat du jour, baptisé « voyage culinaire » et inspiré de la gastronomie asiatique. On part ainsi en Chine, au Vietnam, en Thaïlande, et bien entendu au Cambodge puisque c'est le pays d'origine de la famille. Les clients – dont beaucoup d'habitués – s'installent autour d'un petit comptoir qui compte six places assises. Le petit + : tous les jours, une devinette est affichée sur les murs pastel. Rethori offre un carambar à celles et ceux qui trouvent la bonne réponse !

➻➙ **Adresse –** 96, rue Saint-Maur, Paris 11ᵉ, tél. : 01 43 38 61 38. Site Internet – www.lalicheur.com.

**Horaires –** Ouvert du lun. au ven., de 12 h15 à 15 h 30 et de 19 h 30 à 23 h 30. Ouvert le dim. soir de 20 h à 23 h 30. Fermé le sam.

**Tarifs –** Midi : « plat du jour avec petit dessert ou boisson » à 8 € ; « plat du jour avec grand dessert » à 8,60 €. Autres formules : « plat ou soupe ou salade ; avec boisson ou roll croustillant ou petit dessert » à 7,80 € ; « roll croustillant + plat ou soupe ou salade + boisson + dessert » à 12 €. À la carte : compter environ 7,50 €.

**À noter –** Possibilité de vente à emporter.

# L'Assassin

**Dans l'assiette :** bistrot traditionnel
**Ambiance :** conviviale

Ne vous fiez pas à son nom : vous ne risquez rien en pénétrant dans l'antre de *L'Assassin*, situé à côté du métro Couronnes. Hadrien Rufin a ouvert ce bar-restaurant convivial durant l'hiver 2006, et on parie qu'il devrait vite compter beaucoup d'habitués. Dans ce grand volume, doté d'un grand bar, seules les toilettes, repeintes avec de la laque brillante rouge et noir, évoquent une ambiance de roman policier. Pour le reste, pas d'angoisse : on mange très correctement, surtout au déjeuner où la formule « entrée + plat + dessert » à 11 € est une affaire. Pour vous faire une idée des prix à la carte, les entrées et les desserts ne dépassent pas 5 €, et les plats n'excèdent pas 12 €. La cuisine est traditionnelle (terrine de campagne, navarin d'agneau, etc.) avec toutefois des escapades exotiques, notamment du côté de l'Irlande, le pays d'origine du cuisinier (goûtez son *Steak and Guiness Pie*, une tourte à la viande et à la bière). Pour le dessert, nous recommandons les nems au chocolat servis sur un lit de crème anglaise : leur pouvoir réconfortant dépasse l'entendement. Des concerts sont régulièrement organisés les vendredis soirs (chansonniers, jazz, folk). Par ailleurs, *L'Assassin* offre un accès gratuit à Internet, via la wi-fi.

➙ **Adresse** – 99, rue Jean-Pierre Timbaud, Paris 11ᵉ, Mᵒ Couronnes, tél. : 01 49 23 08 96. Site Internet – www.lassassin.com.

**Horaires** – Ouvert tlj de 7 h 30 (9 h 30 les sam. et dim.) à 2 h.

**Tarifs** – Midi : menu « entrée + plat + dessert (ou café) » à 11 €, ou à la carte : compter 15-20 €. Soir : à la carte uniquement : compter 15-20 €. Happy Hour – 18-21 h (la pinte à 3 €).

# Crêperie bretonne, fleurie... de l'épouse du marin

❤️**Dans l'assiette** : galettes et crêpes
   **Ambiance** : la Bretagne à Paris

La farine de blé noir breton révèle tout son arôme, la garniture – jambon, gruyère et œuf au centre – emplit l'estomac de contentement : cette galette complète (6,40 €) mérite des éloges. Avec des galettes évoluant entre 2,40 € pour celle au beurre de baratte jusqu'à 8,50 € pour la Scorff (andouille et compote de pommes), chacun trouve ici son bonheur. Les crêpes, essentiellement au froment, sont tout aussi délicieuses (beurre de baratte et sucre, confiture, nutella, gelée de cidre, compotes de pommes maison, flambée, etc.) et leurs prix varient de 2,30 € à 6,80 €. Petit plaisir supplémentaire : on peut y ajouter une boule de glace (1,90 €) ou de la chantilly (0,90 €). Qui concocte ces régals bretons ? André Collin, à la barbe fournie, qu'on aperçoit s'activer en cuisine. Quant au cidre, la bolée de « Val de Rance » est à 3,10 €, la bouteille (75 cl) de cidre fermier de Cornouaille à 11 €. Comment décrire le lieu ? Le mobilier, en

bois, a été façonné expressément par un ébéniste ;
un mur de pierres apparentes fait front à un autre
à colombages. L'épouse du marin qui donne son
nom au restaurant fait référence aux objets du
monde entier qu'un navigateur ramène à son
aimée au retour d'un périple. Dissimulées derrière une carte de la Bretagne sont logées ainsi des
poupées russes ; un masque balinais et une sta-
tuette maltaise côtoient des faïences de Quimper...
C'est charmant, reposant, et le service est fort
agréable. On n'est pas les seuls à aimer : le Comité
régional du tourisme de Bretagne a désigné le lieu
« crêperie ambassadrice », un label créé en 2006.
Réservation conseillée les fins de semaine.

➵ **Adresse –** 67, rue de Charonne, Paris 11ᵉ, Mᵒ Charonne,
Faidherbe-Chaligny, Ledru-Rollin, tél. : 01 43 55 62 29.

**Horaires –** Ouvert du lun. au ven. de 12 h à 15 h et de 19 h à
minuit, et le sam. soir. Fermé le dim.

**Tarifs –** À la carte : compter 10-20 €.

# Ethiopia

**Dans l'assiette :** éthiopien
**Ambiance :** paisible

Quelques poteries et tentures, une légère odeur d'encens… L'endroit procure d'emblée une sensation d'évasion et de calme qui est confirmé par un service hyper agréable et tout sourire. Ici, on prend le temps de vous présenter les spécialités éthiopiennes. Et croyez-nous, elles méritent d'être découvertes. Les saveurs sont légèrement citronnées, les parfums subtils. La formule « Plat traditionnel » est la meilleure option pour ceux qui veulent tout goûter : poulet en sauce avec œuf dur, ragoût de bœuf, viande hâchée de bœuf en sauce, lentilles concassées en sauce, épinards et salade. Son prix est dégressif selon le nombre de personnes (cf. ci-dessous). On peut aussi choisir un plat simple – dont un végétarien très apprécié des habitués – à la carte. Plutôt que les couverts, utilisez, comme ça se fait en Éthiopie, les galettes fournies à profusion. Elles permettent de saisir la viande et les légumes cuisinés dans le grand plat posé au centre de la table. Reste à croquer le tout. Autre particularité : on peut faire plat commun, chacun commandant la recette de son choix mais l'ensemble étant réuni et servi dans la même immense assiette. Très romantique pour un tête-à-tête, convivial avec les copains, le procédé peut toutefois s'avérer délicat entre collègues de travail. On a dans ce cas la possibilité de demander chacun son assiette. L'Éthiopie compte un bon nombre de bières, dont une dizaine servies ici. Elles accompagnent parfaitement le repas.

»→ **Adresse –** 89-91, rue du Chemin-Vert, Paris 11ᵉ, Mᵒ Voltaire ou Saint-Maur, tél. : 01 49 29 99 68.

**Horaires –** Ouvert tlj, de 18 h à minuit.

**Tarifs –** Formule « Plat traditionnel » à 20 € ; 37 € pour 2 pers. ; 48 € pour 3 pers. ; 15 € à partir de 4 pers. À la carte : compter 18-20 €.

# Pakito

**Dans l'assiette :** basque
**Ambiance :** comme à Bayonne

*Pour plus de détails, voir l'article consacré à Pakito dans le 9ᵉ arron-*
*dissement (cf. p.63).*

**➻→ Adresse –** Pakito Bastille, 15, rue Daval, Paris 11ᵉ,
    tél : 01 53 36 07 28.

# Les Funambules

**Dans l'assiette :** bistrot traditionel
**Ambiance :** conviviale

Rendez-vous sous le lustre des *Funambules* avec Jonathan, un ami qui a ici ses habitudes et nous offre une revue de détail : notre témoin avoue un gros faible pour l'escalope montagnarde, une solide et honnête composition associant du veau, du fromage fondu, du jambon de pays et des tagliatelles (15,80 €). En l'interrogeant plus longtemps, il reconnaît succomber aussi au charme des cassolettes, plat à base de pommes de terre coupées en lamelles recouvertes de fromage, le tout gratiné (10,20 €). À ceux qui connaissent des fins de mois difficiles, Jonathan conseille d'aller regarder du côté des énormes saladiers : par exemple le « Monsieur Seguin » au chèvre toasté (7,50 €), ou le « Funambule » qui mixe salade, tomates, jambon de pays, pommes de terre sautées, cantal et œuf (9 €). Et puis, il y a tous les plats de l'ardoise (confit, pavé, tartare de poisson l'été, etc.) dont les prix varient de 10 € à 16 € environ, ainsi qu'un brunch complet à 15 € le dimanche.

Côté déco, Les *Funambules* marie la pâtine des vieilles brasseries à juste ce qu'il faut de « branchitude ». Gilles et Nicolas, les co-gérants, ont su insuffler un courant de sympathie dans ce lieu dont l'autre atout majeur surgit avec le retour des beaux jours, à savoir une immense terrasse. Ah ! Jonathan nous signale une dernière chose : vous pouvez commander les yeux fermés moelleux, mousse et autres desserts au chocolat, excellents sans exception.

**➡ Adresse –** 12, rue Faidherbe, Paris 11ᵉ, Mᵒ Faidherbe-Chaligny, tél. : 01 43 70 83 70.

**Horaires –** Ouvert tlj, de 7 h 30 à 2 h (service continu de 12 h à minuit).

**Tarifs –** À l'ardoise : compter 12-20 €. Brunch (le dim.) : 15 €.
**À noter –** Pas de réservation. Pas de chèque. Pas de CB pour un montant ‹ 15 €.

# 12ᴱ ARRONDISSEMENT

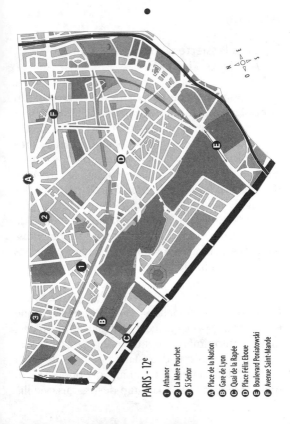

PARIS - 12e

1 Athanor
2 La Mère Pouchet
3 Si Señor

A Place de la Nation
B Gare de Lyon
C Quai de la Rapée
D Place Félix Eboue
E Boulevard Poniatowski
F Avenue Saint-Mande

# Athanor

⊗ **Dans l'assiette** : roumain
   **Ambiance** : intimiste

Athanor désigne le four des alchimistes. Un nom bien trouvé pour ce restaurant qui met tout son art et sa magie au service d'une cuisine injustement méconnue, la gastronomie roumaine. Près de la *Coulée Verte*, dans une rue calme, s'offrent ainsi au palais des spécialités comme les *sarmale* (feuilles de chou farcies à l'échine de porc, feuilles de vigne farcies à l'agneau) ainsi que d'autres saveurs d'Europe de l'Est, comme les rillettes de hareng fumé ou le caviar d'aubergine. Les poissons d'eau douce sont finement préparés, et les desserts, comme le gâteau aux noix, sont la meilleure conclusion qu'on puisse imaginer à ce repas 100 % roumain, jusque dans ses vins (Murfatlar et Cotnari). À goûter aussi : l'eau-de-vie de prune (Tuica). Pas spécifiquement roumain en revanche, mais suffisamment original pour être précisé : *Athanor* propose la dégustation de plus de vingt vodkas différentes, aux noms poétiques (à la framboise arctique, à la mûre des marais, vieillie en fût de chêne…), de 6 à 10 € le verre. Si les prix sont élevés, la formule déjeuner à 13 € est en revanche tout à fait abordable. Les petits budgets n'ont donc pas de raison de bouder ce lieu intimiste et chaleureux, qui dispose d'une petite terrasse fort agréable les jours de beau temps.

➻ ➤ **Adresse** – 4 rue Crozatier, Paris 12ᵉ, M° Reuilly-Diderot, tél. : 01 43 44 49 15.

**Horaires** – Ouvert du mar. au sam. de 12 h à 13 h45 (fermeture à 14 h 30) et de 19 h 30 à 21 h 30 (fermeture à 23 h 30).

**Tarifs** – Midi : formule à 13 € (plat + entrée ou plat + dessert). Midi et soir : menu à 25 € (entrée + plat + dessert). À l'ardoise : compter 30 €.

**À noter** – Réservation conseillée. Restaurant entièrement non-fumeur.


# La Mère Pouchet

**Dans l'assiette** : bistrot traditionnel
**Ambiance** : conviviale

Dans la famille Pouchet, je demande la mère. *Le Père Pouchet*, dans le quartier des Épinettes (cf.

p.130) s'est en effet trouvé une «épouse» tout
près de Nation. Les deux bistrots se ressemblent :
même cadre chaleureux où l'on vient pour manger
ou seulement boire un verre entre amis, expos de
peintures dans les deux lieux, etc. On peut toutefois
noter que c'est un poil plus populaire chez le *Père*
que chez la *Mère*, et encore... La vraie différence,
c'est que la *Mère* ne propose pas de formule pour
le déjeuner, mais un plat du jour (9,50 €). Sinon,
on mange selon ce que propose la carte-ardoise,
la même midi et soir. Elle change en perma-
nence, tout en conservant ses spécialités, très pri-
sées des habitués : camembert rôti en amandes
(6 €), cassolette d'escargots (6 €), pièce du boucher servie avec un gratin maison et petits légumes (18 €), etc. Enfin, le couple a un enfant, le
*Petit Pouchet,* rue du Rocher (cf. p.58).

**⇢ Adresse** – 168, bd Diderot, Paris 12e, M° Nation, tél. : 01 43 43
87 66.

**Horaires** – Ouvert tlj de 7 h à 2 h (2 services : 12 h-16 h et 20
h-23 h, et le dim. de 12 h à 23 h non-stop).

**Tarifs** – Midi et soir : à la carte uniquement : 20-25 €.
**À noter** – Réservation conseillée le soir.

# Sí Señor

(X) **Dans l'assiette** : espagnol
**Ambiance** : conviviale

Les dimanches, *Sí Señor* se transforme en bar à tapas, où l'on peut grignoter des poivrons grillés et autres *raciones*, ou se contenter de boire un verre de sangria en laissant couler le temps tranquillement (le verre à 3,60 €, le pichet de 50 cl à 7,40 €, le pichet de 1 l à 12,60 €). Courez-y quand il fait beau et chaud, pour profiter de la terrasse, un hâvre de tranquillité situé juste en face du square Trousseau et de son joli kiosque à musique. Les autres jours, *Sí Señor* est un restaurant où l'on fait le plein de spécialités ibériques comme le *gazpacho* andalou (soupe froide de tomates), le fromage *manchego* (de brebis), les gambas ou le carré de porc *a la plancha* (mode de cuisson typiquement espagnol), la charcuterie de *bellota* (le nec plus ultra selon les connaisseurs)... Les prix grimpent un peu le soir et le samedi midi, mais la formule du déjeuner, en semaine, est un vrai bon plan : escapade express du côté de Madrid, Séville ou Bilbao pour seulement 10,90 € !

**Adresse –** 9, rue Antoine-Vollon, Paris 12e, M° Ledru-Rollin, tél. : 01 43 47 18 01. Site Internet – www.si-senor.com.

**Horaires –** Ouvert du mar. au sam. de 12 h à 14 h 30 (14 h le sam.) et de 19 h 30 à 23 h ; le dim., de 11 h 30 à 15 h 30.

**Tarifs –** Midi (sauf sam. et dim.) : menu à 10,90 € (gazpacho + carré de porc « a la plancha »). Formule económica : entrée ou dessert à 2,40 € en complément d'une assiette de charcuterie, d'un plat ou d'un assortiment. Soir (et sam. midi) : menu « Sí Señor » à 23,90 €. Dim. : menus à 18 € et 22 € ; tapas seules à 5 € : plat seul à 14 € ; dessert seul à 5 €.

**À noter –** Pas de CB pour un montant ‹ 20 €.

# 13ᴱ ARRONDISSEMENT

PARIS - 13ᵉ

❶ Au Banquier
❷ Chez Gladines
❸ Tricotin

Ⓐ Place d'Italie
Ⓑ Boulevard Vincent Auriol
Ⓒ Avenue d'Italie
Ⓓ Boulevard Massena
Ⓔ Rue de Tolbiac
Ⓕ Hôpital La Pitié-Salpêtrière

# Au Banquier

**Dans l'assiette :** bistrot traditionnel + paella
+ couscous
**Ambiance :** conviviale

On connaissait le « Lundi, c'est raviolis » de *La
vie est un long fleuve tranquille*. *Au Banquier*, ça
donnerait plutôt « Mercredi soir, c'est paella, et le
week-end, c'est couscous ». À propos, après le couscous, le bonheur consiste à choisir en guise de
dessert une pâtisserie orientale (3 €) dans le grand
plateau apporté par le serveur, et de l'accompagner d'un thé à la menthe fraîche (2,50 €). Le reste
du temps, *Au Banquier* propose des menus (9,50 €
le midi, 10,50 € le soir) qui explorent toute la
gamme de la cuisine traditionnelle française : petit
salé aux lentilles, choucroute, rôti de porc et chou-
fleur en gratin… L'accueil est courtois, efficace et
souriant. Côté déco, c'est rideaux ajourés et plantes
vertes. On aime aussi les verres à vin décorés, le
dessin rétro du carrelage (qui sert de logo au restaurant), ainsi que les petits kits salière/poivrière
en plastique tous identiques que les garçons ras-
semblent sur la même table en fin de service…

en attendant le suivant. « Le temps qui passe n'a pas de prise sur nous » : voilà ce que semblent dire les murs du *Banquier*. C'est la recette de son succès.

**➻➔ Adresse** – 7, rue du Banquier, Paris 13ᵉ, Mᵒ Campo-Formio ou Les Gobelins, tél. : 01 43 36 73 46.

**Horaires** – Ouvert tlj, sauf le lun. soir, de 8 h 30 à 23 h (2 services : 12 h-14 h 30 et 19 h 30-22 h 30).

**Tarifs** – Menu à 9,50 € le midi, 10,50 € le soir. Couscous de 8,50 € à 12,50 € (du ven. soir au dim. soir). Paella à 12 € (le mer. soir).

# Chez Gladines

**Dans l'assiette :** Sud-Ouest
**Ambiance :** festive

Direction la rue des Cinq-Diamants, sur la Butte aux cailles, colline où se concentre l'un des plus charmants quartiers de Paris. Il fut un temps, au siècle dernier, où une bougnate vendait du charbon en ces lieux. Elle s'appelait Gladines et a donné son nom au magasin. Depuis une quinzaine d'années, c'est devenu un restaurant du Sud-Ouest, et il ne viendrait à personne l'idée de changer son nom, même si peu de monde connaît sa lointaine origine. C'est LA bonne adresse près de la place d'Italie, un endroit où l'on mange sur des nappes à carreaux rouge et blanc d'énormes salades (6,80 € à 9 €), un confit de canard aux cèpes (11,60 €), un cassoulet maison (11,60 €), une escalope de veau montagnarde (11,60 €), un poulet basquaise (9,50 €), etc. Le prix des bouteilles de vin ne dépasse pas 16 €. Les étudiants et les riverains s'y pressent tant que le soir, à moins d'arriver dès le début du service, il n'est pas rare de devoir attendre au bar qu'une table se libère dans l'une des deux salles. Bien heureusement, la convivialité ambiante fait à peine sentir cette attente, et l'on a en général à peine le temps de boire un apéritif que l'on se retrouve attablé.

**➻ Adresse –** 30, rue des Cinq-Diamants, Paris 13ᵉ, Mᵒ Corvisart, tél. : 01 45 80 70 10.

**Horaires –** Ouvert tlj de 11 h à 2 h (2 services : 12 h-15 h [jusqu'à 16 h les sam. et dim.] et 19 h-minuit [jusqu'à 1 h du mer. au sam.]).

**Tarifs –** Midi : plat du jour 8 €. Midi et soir : à la carte, compter 15 €.

**À noter –** Pas de réservation. CB non acceptée.

# Tricotin

**Dans l'assiette :** asiatique (chinois, thaïlandais, vietnamien, cambodgien)
**Ambiance :** cantine

Dans le 13ᵉ arrondissement, les restaurants asiatiques sont légion. Pourquoi alors conseiller *Tricotin* ? Parce que l'ambiance est tellement démente qu'elle vaut le déplacement : c'est une immense cantine (100 couverts, peut-être même davantage, on n'a pas compté...) où règne un brouhaha permanent, à la déco ultra-kitsch et au service expéditif. La carte est aussi fournie qu'un bottin. On peut aussi bien y manger du bœuf *loc lac* (miam !) que des nems et des raviolis-vapeur (délicieux), du canard laqué (très bon), des travers de porc (*idem*) et même... de la sadade de méduses (ça, on n'a pas goûté...). Tout est fait maison, et non pas acheté à des entreprises extérieures comme c'est le cas dans d'autres établissements du quartier. De fait, le restaurant est divisé en deux espaces, l'un consacré à la cuisine asiatique en général, l'autre orienté thaï. À vous de choisir ! Les Asiatiques constituent la majeure partie de la clientèle, et c'est plutôt bon signe. On peut faire une halte ici à n'importe quelle heure (cf. horaires ci-dessous), et l'on s'en sort vraiment pour pas cher. Pour un repas vite pris dans le quartier « asiate », c'est une bonne adresse, surtout qu'on n'attend quasiment pas entre la commande et l'arrivée du plat.

➻ **Adresse –** 15, av. de Choisy, Paris 13ᵉ, Mᵒ Porte de Choisy, tél. : 01 45 84 74 44.

**Horaires –** Ouvert tlj de 9 h à 23 h (service continu).

**Tarifs –** À la carte uniquement : compter 10-15 €.

# 14ᴱ ARRONDISSEMENT

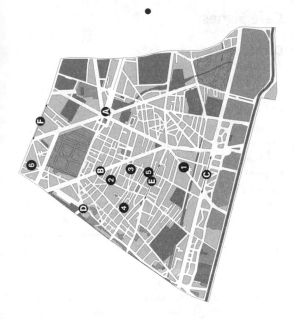

# Café Signes

**Dans l'assiette :** savoureux
**Ambiance :** un pont reliant les sourds
et les entendants

Au *Café Signes*, la cuisine est toujours savoureuse et inventive (ex. : gigot d'agneau aux fruits
secs et son boulgour aux olives, crème brûlée
subtilement aromatisée à la lavande...). Ce restaurant lumineux et design, qui expose les peintures et photos d'artistes, est vraiment une excel-
lente adresse pour le déjeuner. Les prix ? Ils sont
tout doux. Maintenant, jetez un œil à votre set de
table : l'alphabet en langue des signes y est repro-
duit. Café Signes fait partie intégrante d'un ESAT
– établissement et service d'aide par le travail –
spécialisé dans la surdité ; et l'idée géniale, c'est
que des sourds font partie de l'équipe, en cuisine
et en salle. Ici, il faut donc trouver de nouveaux
moyens de communiquer : on appelle le serveur
en agitant la main, on n'hésite pas à lui montrer
du doigt sur la carte le plat choisi, et on découvre
les rudiments de la langue des signes française
grâce aux livrets mis à disposition. En bref, on

mange bien, et en prime, on découvre tout un univers méconnu. À noter : *Café Signes* est non-fumeur pendant le déjeuner, c'est-à-dire entre 12 h et 15 h, et la réservation y est fortement conseillée. Enfin, les accros à Internet ont à leur disposition un espace cybercafé (payant) avec la possibilité d'imprimer des documents.

➵➞ **Adresse –** 33, avenue Jean-Moulin, Paris 14e, M° Alésia, tél. : 01 45 39 37 40. Site Internet – www.cafesignes.com.

**Horaires –** Ouvert du lun. au ven. de 8 h à 19 h (service le midi uniquement, de 12 h à 14 h).

**Tarifs –** Formule « entrée + plat + dessert » à 12,20 €. Menu express (entrée + plat ou plat + dessert) à 10 €. Plat du jour seul à 7,50 €. À la carte : compter 15-20 €.

## Le Château Poivre

**Dans l'assiette :** bistrot traditionnel
**Ambiance :** conviviale

Tout résident du quartier de la mairie du 14e arrondissement connaît *Le Château Poivre*, et surtout son cuisinier – l'un des deux frères associés – reconnaissable à ses moustaches à la Brassens. En fin de service, il n'est pas rare de le voir faire le tour de la salle, demandant à chacun si tout s'est bien passé. Et l'on vous rassure, tout se passe très bien. On mange ici une cuisine traditionnelle française variée et savoureuse (cassoulet, bœuf bourguignon, ris de veau, profiterolles au chocolat, tarte maison…), accompagnés d'excellents vins. Côté déco, c'est sobre, clair et décoré par des œuvres – toiles et photographies – réalisées par des artistes qui connaissent les patrons. *Le Château Poivre* ? Une bonne adresse, tout simplement.

**⇢ Adresse –** 145, rue du Château, Paris 14ᵉ, Mᵒ Pernety, tél. : 01 43 22 03 68.

**Horaires –** Ouvert tlj sauf dim. (2 services : 12 h 30-14 h et 19 h 30-22 h) Fermé 15 jours autour de la 2ᵉ quinzaine d'août, et 15 jours autour des fêtes de fin d'année).

**Tarifs –** Formule « entrée + plat +dessert » à 18,50 € (midi et soir). À la carte : compter 20-30 €.

**À noter –** Réservation conseillée.

# Le Petit baigneur

❤️**Dans l'assiette** : traditionnel
**Ambiance** : bistrot traditionnel

Le couple de propriétaires du *Petit Baigneur* adore chiner, d'où une flopée de publicités anciennes sur plaques émaillées aux murs du restaurant (on en décrocherait d'ailleurs volontiers une ou deux pour les embarquer chez soi…). À peine entré, le visiteur est titillé par des fumets de cuisine qui le mettent en appétit, et comme si ça ne suffisait pas, les desserts placés bien en vue finissent de lui mettre l'eau à la bouche. Ces derniers, élaborés selon l'inspiration du jour (moelleux au chocolat, tartes pomme-poire-cannelle, poire-chocolat, à la rhubarbe….), sont bons à mourir. Tout est dit : au *Petit Baigneur*, on se régale d'une cuisine faite maison. Outre le plat du jour – bourguignon, tête de veau, dorade grillée… –, la maison propose une carte riche en grillades (le patron est un ancien boucher) sur laquelle figurent aussi toutes sortes de plats traditionnels (lapin aux pruneaux, daube de bœuf à la provençale…). À la question : « Et qu'est-ce que vous voudrez boire avec ça ? », n'hésitez pas à répondre : « Le vin du mois ». La bouteille, soigneusement sélectionnée, est à 16 €. Petit plaisir supplémentaire : on inscrit soi-même sa commande sur une petite feuille de papier, un jeu auquel on se prête volontiers et qui rajoute au plaisir du repas.

➺➤ **Adresse –** 10, rue Sablière, Paris 14ᵉ, Mᵒ Mouton-Duvernet ou Pernety, tél. : 01 45 45 47 12.

**Horaires –** Ouvert tlj sauf les sam. midi et dim. (2 services : 12 h-14 h 30 et 19 h-22 h 30).

**Tarifs –** Midi : formule « entrée + plat » ou « plat + dessert » à 13,50 €. Soir : formule « entrée + plat + dessert » à 18,50 €. À la carte : plat à 12,50 €, entrée et dessert à 5 €.

**À noter –** Restaurant entièrement non-fumeur. Réservation conseillée pour les groupes.

## Pizza Maria

**Dans l'assiette :** italien
**Ambiance :** tranquille

La rue Raymond-Losserand concentre énormément de restaurants. Alors pourquoi – vous demandez-vous – se donner la peine d'aller dans une rue adjacente pour manger ? Surtout si l'endroit en question ne paie pas de mine (déco kitsch). Poussez la porte de *Pizza Maria* et vous comprendrez. Dès l'entrée, on est accueilli par un irrésistible parfum de cuisine italienne qui met en appétit. Une fois servie, la première impression se confirme, surtout sur les pizzas. Elles sont généreuses, bien garnies, et la pâte est à la fois fine et moelleuse. Question prix, c'est vraiment le bon plan (pizzas : de 6,50 à 8,50 € ; lasagnes au four : 7,50 €). La maison, tenue par un couple adorable originaire de Sicile, propose une fois par semaine un *osso buco* (on peut aussi en faire la demande en téléphonant la veille).

**Adresse** – 15, rue Boyer-Barret, Paris 14e, M° Pernety ou Plaisance, tél : 01 45 45 91 97.

**Horaires** – Ouvert du lun. au sam. de 12 h à 14 h 30 et de 19 h à 22 h 30.

**Tarifs** – Midi : menu à 11 € (entrée + plat + dessert). Menu à 15 € (entrée + plat + dessert). Soir : menu à 15 € (entrée + plat + dessert).

# S

**Dans l'assiette :** bistrot revisité
**Ambiance :** cosy

Ce restaurant s'appelle *S*, tout simplement ; S comme Sébastien, un jeune restaurateur qui a ouvert sa première affaire en novembre 2006 dans ce qui était connu jusqu'ici comme *Le Rendez-vous des camionneurs*. Quelques petites tables, des banquettes en velours rouge, des toiles au mur et une lumière tamisée font de cette adresse un lieu cosy où l'on mange des plats bien présentés. Sébastien s'est amusé à faire précéder chacun des plats de la carte par un adjectif commençant par S. On commande donc ici une « succulente andouillette de Troyes grillée et son aligot » (11,50 €), une « superbe omelette au choix accompagnée de salade » (6,50 €) ou un « sensationnel steack de thon aux saveurs provençales accompagné de riz sauvage » (12,50 €). À cela s'ajoutent les entrées, plats et desserts du jour réunis au sein de formules intéressantes (cf. ci-dessous). S signifie « saveurs », mais aussi « sens de la fête » : entre 18 h et 20 h, c'est l'*happy hour* avec tous les cocktails à 5,50 €, et les fins de semaine, on peut prolonger le dîner en commandant un (ou plusieurs) verre(s) après le repas et refaire tranquillement le monde avec ses copains.

**➞→ Adresse –** 34, rue des Plantes, Paris 14ᵉ, Mᵒ Alésia, tél. : 01 45 40 43 36.

**Horaires –** Ouvert tlj, sauf le dim. toute la journée et le lun. midi, de 12 h à 14 h 30 et de 18 h à 2 h.

**Tarifs –** Midi : formule à 13,50 € (entrée + plat ou plat + dessert) ou à la carte. Soir : formule à 18,50 € (entrée + plat + dessert) ou à la carte.
**À noter –** Pas de chèque.

## Toritcho

**Dans l'assiette :** japonais (sushi, sashimi, tempura…)
**Ambiance :** authentique

La France connaît un véritable engouement pour les *sashimi* (poisson cru), *sushi* (tranche de poisson cru sur boulette de riz), *tempura* (beignet), *nabé* (fondue japonaise) et autres mets nippons. Le problème est que dans ce domaine, c'est assez rare de trouver une adresse associant la qualité des produits à des prix abordables. Voilà pourquoi nous vous conseillons *Toritcho\**, un restaurant près de Montparnasse qui cumule tout ce qu'il faut : tarifs accessibles, fraîcheur des ingrédients et respect d'un principe fondamental de la gastronomie japonaise : l'utilisation des produits de saison (corail d'oursins, par exemple). On s'installe soit dans la salle qui compte une cinquantaine de couverts, soit côte à côte au bar. De là, on peut assister au travail du chef, qui procède à la découpe du poisson cru selon les commandes que les serveurs lui communiquent en japonais. Significatif de la légitimité de *Toritcho* : le Comité d'évaluation de la cuisine japonaise, qui vient de lancer son premier guide, l'a intégré dans sa liste des cinquante restaurants reconnus « authentiques » en France. D'ailleurs, de nombreux Japonais résidant à Paris viennent manger ici. Dernière raison de choisir *Toritcho* : la gentillesse de son propriétaire, originaire de l'île de Shikoku, et de toute son équipe.

**⟫⟶ Adresse –** 47, rue du Montparnasse, Paris 14ᵉ, M° Montparnasse-Bienvenüe, tél. : 01 43 21 29 97.

**Horaires –** Ouvert tlj sauf le dim. midi et jours fériés midi (2 services : 12 h-14 h 30 et 19 h-23 h).

**Tarifs –** Midi : menus de 8,50 € 13,10 €. Soir : menus de 12,90 à 25,90 €. À la carte : compter 20-25 €.

*\* Nous conseillons aussi une autre adresse japonaise à Paris, la cantine Higuma (cf. p. 10), mais elle est spécialisée dans les soupes.*

# 15ᴱ ARRONDISSEMENT

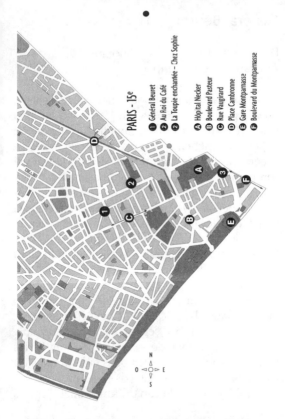

PARIS - 15ᵉ

1 Général Beuret
2 Au Roi du Café
2 La Toupie enchantée – Chez Sophie

A Hôpital Necker
B Boulevard Pasteur
C Rue Vaugirard
D Place Cambronne
E Gare Montparnasse
F Boulevard du Montparnasse

N
O ◁◇▷ E
S

# Général Beuret

**Dans l'assiette :** bistrot traditionnel
**Ambiance :** comic strip

Le ton est donné en poussant la porte d'entrée, dont la poignée représente un « B » rouge sur fond jaune et bleu. Si ça vous rappelle le symbole de Superman, sachez que c'est l'effet souhaité. Le général Beuret, militaire du XIX$^e$ siècle qui a donné son nom à la rue et à la place voisines, est revisité ici en moustachu en pyjama, peint sur le mur tel le super héros du quartier. D'où le « B » de la poignée, et les teintes bleues, jaunes et rouges de la grande salle. Au plafond, un Spiderman guette tandis que derrière le bar et en salle s'affairent des barmen affranchis et des serveuses aventurières. Peut-être s'agit-il de super héros et héroïnes qui une fois leur service terminé vont sauver le monde vêtus d'une cape… Notre esprit s'égare. Toujours est-il que le service est jeune et sympa, et que la maison fait des exploits pour rendre les tarifs accessibles : outre les plats et les tourtes du jour à petits prix (cf. plus bas), elle propose des plats raffinés (filet de canard sauce miel d'épices

à 10 €) ou des en-cas (croque-monsieur à 5,40 €).
Au comptoir, le café est à 0,90 € et le demi à 1,70 €,
et ce jusqu'à 20 h (ensuite, c'est 1,40 € et 2,50 €).
L'ambiance est festive le soir, notamment en raison
de la programmation musicale bien sentie. On peut
donc venir aussi bien pour boire un verre que
pour dîner. L'été, l'établissement s'agrandit grâce
à une belle terrasse et enrichit sa carte de nombreuses salades.

➻➙ **Adresse –** 9, pl. du Général-Beuret, Paris 15ᵉ, Mᵒ Vaugirard, tél. :
01 42 50 28 62.

**Horaires –** Ouvert tlj de 8 h à 2 h (service continu le sam. et dim.
de 12 h à 23 h ; 2 services les autres jours : 12 h-15 h et 19 h-23 h).

**Tarifs –** Plat du jour à 8,40 € (+ café : 9,20 €). Tarte du jour à
6,90 € (+ café : 7,70 €). À la carte : compter 10-15 €.

# Au Roi du Café

**Dans l'assiette :** bistrot
**Ambiance :** Belle Époque

Si vous dites non aux enseignes multinationales
où l'on boit un café dans un cadre identique quel

que soit l'endroit sur le globe, cette adresse est pour vous. Vous apprécierez sa singularité. *Au Roi du Café* fait écho à une époque où l'on disait encore « métropolitain » pour « métro », où les femmes portaient des ombrelles et les hommes de belles moustaches. Ce cadre Belle Époque a été miraculeusement conservé. La brasserie vient certes de s'offrir un lifting, mais c'est seulement pour se donner un petit coup de propre. Les boiseries et tout ce qui fait son charme suranné ont été précieusement conservés. La cuisine, traditionnelle, reste accessible à tous : les plats de l'ardoise (poulet rôti, tartare de bœuf, confit de canard, et différents plats du jour) sont à 9 €, les salades à 8 €, et les desserts à 5,50 €. Le dimanche, c'est assiette brunch pour tout le monde (14 €). Une recette qui fait le succès de cette adresse, que jeunes, vieux, couples, groupes ou clients solitaires s'accordent tous à apprécier. Un vrai bistrot de quartier, et il n'y en a plus tant que ça...

➻➔ **Adresse** – 59, rue Lecourbe, Paris 15ᵉ, M° Volontaires, tél. : 01 47 34 48 50.

🔲 **Horaires** – Ouvert tlj, sauf le dim., de 6 h 30 à 1 h (service continu de 11 h à 23 h), et le dim. de 7 h à 18 h (assiette brunch à 14 € à partir de 11 h).

📖 **Tarifs –** À la carte : compter 10-15 €. Formules comptoir (de 11 h à 16 h) : « sandwich + boisson + café » à 5,50 € ; « plat + boisson + café » à 11 €. Happy Hour (18 h-20 h) : cocktails à 4 €.

# La Toupie enchantée – Chez Sophie

🍴 **Dans l'assiette :** bistrot traditionnel
 **Ambiance :** décontractée

Faites connaissance avec les Croc' de *La Toupie enchantée* : ils sont servis sur du pain au levain biologique, garnis, puis toastés. Le Croc' Toupie joue la carte du sucré-salé, mariant la douceur de la poire à la saveur persillée de la Fourme d'Ambert et au sel de la coppa ; le Croc' Toupinou est franc, rustique et généreux avec ses pommes de terre, ses tranches de Saint-Nectaire et son jambon de pays. Ils rivalisent sur la carte avec le traditionnel Croc' Monsieur, ou encore le Croc' Norvégien, au saumon fumé froid, mais tous ont en commun d'être servis avec une bonne salade fraîche. Leurs prix varient de 7,80 € à 8,50 €. À eux seuls, ils suffiraient à recommander cette adresse. Mais il y a davantage : la gentillesse de Sophie, la jeune femme qui a créé en 2001 ce lieu à son image, c'est-à-dire, relax. C'est elle qui sélectionne les vins, les plats, organise les expositions de tableaux ou de photos qui habillent la salle. Résultat : un endroit où l'on se sent divinement bien, qu'on vienne y manger un des fameux Croc', un plat (de 7,80 € à 14 €), une assiette de cochonnaille, de fromages ou mixte (de 14 € à 16 €) ou l'un des desserts exquis de l'ardoise. La réservation est conseillée pour le déjeuner, la petite salle étant prise d'assaut par les amoureux de ce lieu unique.

➻➙ **Adresse –** 121, rue de Vaugirard, Paris 15ᵉ, Mᵒ Falguière, tél. : 01 45 67 04 61.

**Horaires –** Ouvert du mar. au ven., de 9 h à 22 h (et plus suivant l'ambiance).

**Tarifs –** À l'ardoise uniquement : compter 15-20 €.

# 16ᴱ ARRONDISSEMENT

**PARIS - 16e**

① Délits d'initiés,
   rue de la Tour
② Délits d'initiés,
   rue de Longchamp
③ Noura

④ Arc de Triomphe
Ⓑ Place Victor Hugo
Ⓒ Place du Trocadéro
Ⓓ Lycée Janson de Sailly
Ⓔ Rue de Passy
Ⓕ Avenue Foch

# Délit d'initiés (rue de la Tour)

**Dans l'assiette :** méditerranéen
**Ambiance :** cosy

Derrière la façade rouge du Délit d'initiés se cache une perle rare dans le 16e arrondissement : un restaurant et salon de thé à la fois original, accueillant, cosy et abordable. Les noms des plats, pour l'essentiel inspirés de la gastronomie méditerranéenne, sont des invitations au voyage. À vous de choisir votre destination sur la carte renouvelée fréquemment : de l'autre côté des Pyrénées avec l'assiette « Madrid » (assortiment de tapas) à 11,50 € ; en Tunisie avec le tajine de légumes aux épices et au miel baptisé « Djerba » ; à la montagne avec la tartiflette « Val d'Isère » à 12 €, etc. Côté dessert, on craque pour le moelleux au chocolat (5,50 €) dont on choisit soi-même la cuisson et la consistance, et qui est servi tiède accompagné de glace vanille ou de crème anglaise. Et puis, comme c'est un salon de thé, on peut tout simplement venir s'y réchauffer les jours de grand froid avec un « M'sieur Duss », le vin chaud maison à l'orange et à la cannelle (4,50 €), l'une des « potions magiques », nom donné à de délicieuses tisanes (4,50 €), un verre de thé à la menthe et pignons de pin (3 €), ou encore une infusion aux pétales de rose (3 €), etc. Bonne nouvelle : le concept s'est exporté ailleurs dans le 16ᵉ arrondissement (cf. p. 121).

→ **Adresse** – 4, rue de la Tour, Paris 16ᵉ, Mᵒ Passy, tél. : 01 45 27 17 12. Site Internet – www.delit-dinites.com.

**Horaires** – Déjeuner et dîner : du mar. au dim. (en semaine, 2 services : 12 h-15 h et 19 h 30-23 h ; les sam. et dim. : en continu de 12 h à 23 h).

**Tarifs** – À la carte : compter 15-20 €.

**À noter** – Pas de chèque. Pas de CB pour un montant ‹ 15 €. Possibilité d'organiser des dîners privés (de 8 à 30 pers.) : téléphoner pour plus d'information.

# Délits d'initiés (rue de Longchamp)

## Dans l'assiette : méditerranéen
## Ambiance : cosy

*Pour plus de détails, voir l'article consacré à Délits d'initiés, rue de la Tour, également dans le 16ᵉ arrondissement (cf. p. 120).*

→ **Adresse** – 30, rue de Longchamp, Paris 16ᵉ, tél. : 01 45 05 12 30.

**Horaires** – Ouvert tlj sauf le dim. pour déjeuner et dîner.

# Noura

**Dans l'assiette :** libanais
**Ambiance :** chic

Non loin des Champs-Élysées, trois enseignes portent le nom *Noura* à quelques mètres de distance. Ce restaurateur libanais est si bien ancré dans le quartier que l'intersection entre l'avenue Marceau et la rue Pierre-I$^{er}$-de-Serbie a même été rebaptisée place de Beyrouth en son honneur. Beaucoup de Libanais installés à Paris viennent y retrouver les saveurs de leur pays. Il y a donc un traiteur, le restaurant *Noura Pavillon*, et ce qui nous intéresse plus particulièrement dans le cadre de ce guide, la brasserie. Lumineuse et chic, celle-ci est divisée entre une salle où l'on mange sur place une assiette entre 15 et 20 €, et un coin snack. Dans ce cas, le sandwich est à emporter ou à manger sur place mais debout. Ceci dit, c'est beaucoup plus intéressant question prix : le *chamarwa* poulet (émincé de poulet mariné et rôti à la broche) coûte 4,75 €, le *manakiché* (pizza libanaise) au thym 4 € et la portion de taboulé 5,50 €, sans oublier différentes formules (cf. ci-dessous). Il y a deux autres brasseries Noura dans Paris (cf. pp. 20 et 47).

➾ **Adresse –** 27, av. Marceau, Paris 16ᵉ, Mᵒ George V, tél. : 01 47 20 33 33. Site Internet – www.noura.fr.

**Horaires –** Ouvert tlj de 8 h à minuit (service continu).

**Tarifs –** Corner snack (à emporter ou à manger debout) : menu à 8,75 € (1 sandwich *chawarma* agneau ou poulet + 3 feuilletés salés + 1 soda) ; menu à 10,25 € (2 sandwiches *chawarma* + 1 soda) ; menu à 10,75 € (1 sandwich *chawarma* ou végétarien + taboulé nature ou salade orientale + 1 soda) ; menu à 12,50 € (2 sandwiches au choix + 3 pièces salées ou sucrées + 1 soda). Taboulé à emporter : 5,50 €.

# 17ᴱ ARRONDISSEMENT

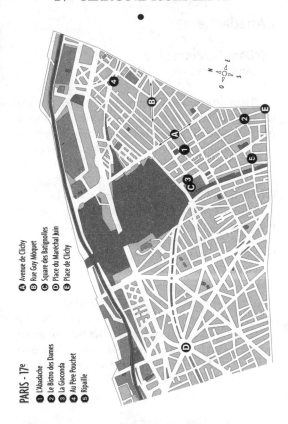

**PARIS - 17ᵉ**

1. L'Abadache
2. Le Bistro des Dames
3. La Gioconda
4. Au Père Pouchet
5. Ripaille

Ⓐ Avenue de Clichy
Ⓑ Rue Guy Môquet
Ⓒ Square des Batignolles
Ⓓ Place du Maréchal Juin
Ⓔ Place de Clichy

# L'Abadache

⊗ **Dans l'assiette :** bistrot revisité
**Ambiance :** conviviale

Trois ans et demi d'existence et déjà une référence. Ce restaurant gai et coloré s'est rapidement fait une clientèle d'habitués parmi les habitants des Batignolles. C'est que Yann Piton, le maître des lieux, n'a pas son pareil pour concocter des plats originaux et délicieux à partir de produits de saison. On le conseille à midi, car c'est plus abordable. Voilà un exemple de déjeuner : chèvre chaud sur roquette accompagné de tomates séchées et de pignons de pin en entrée ; filet de dorade, riz basmati et *chutney* d'épinards en plat ; *banana cake* au dessert. Si les noms sur l'ardoise ainsi que les saveurs ont parfois un parfum d'Albion, c'est que la femme de Yann Piton, une Anglaise, l'inspire beaucoup ; et aussi, confie-t-il, pour faire un pied-de-nez aux méchants clichés sur la gastronomie de nos voisins d'outre-Manche. Voilà pourquoi on est toujours sûr de trouver, parmi les fromages, du *stilton* (le roquefort british). Quant à « Abadache », inutile de chercher sa définition dans le dictionnaire : même si ça sonne comme le nom d'un plat du Sud-Ouest, c'est une pure invention de Yann Piton. On le laisse vous en expliquer la signification.

➤➤ **Adresse –** 89, rue Lemercier, Paris 17ᵉ, Mº Brochant, tél. : 01 42 26 37 33.

📖 **Horaires –** Ouvert du lun. au ven. de 12 h à 14 h15 et de 19 h à 23 h.

💳 **Tarifs –** Midi : plat à 13 €. Menu à 16 € (entrée + plat ou plat + dessert). Menu à 20 € (entrée + plat + dessert). Soir : menu à 28 € (entrée + plat + dessert).

## Le Bistro des Dames

ⓧ **Dans l'assiette :** bistrot traditionnel
**Ambiance :** une pause en ville

Derrière la place de Clichy se dissimule *Le Bistro des Dames*, un restaurant cosy (jolies petites chaises et tables en bois, lumière douce, boiseries au mur…) sur deux étages. L'été, on peut même manger en terrasse, dans une petite cour au charme champêtre, un fait suffisamment rare à Paris pour être souligné. En bref : c'est l'endroit idéal pour un tête-à-tête amoureux. Du côté de la carte, ce n'est pas l'adresse la plus économique que vous trouverez dans ce guide, d'autant plus que les prix grimpent un peu le soir, mais les petits budgets trouveront leur bonheur avec l'une des trois salades fraîches et généreuses (salade des Dames aux gésiers, magrets séchés, foie gras, cantal… à 15 € ; salade Cæsar au blanc de volaille grillé à 14 € ; salade méditérannéenne au thon frais grillé à 14 €). Les « assiettes » sont une autre bonne option (tortilla, jambon Serrano… à 13 € ; charcuterie à 14 € ; fromages à 9 € ou 13 € selon la taille).

➻➤ **Adresse –** 18, rue des Dames, Paris 17e, M° Place de Clichy, tél. : 01 45 22 13 42. Site Internet – www.eldoradohotel.fr.

**Horaires –** Ouvert du lun. au ven. de 12 h à 15 h et 19 h-2 h (service jusqu'à 23 h). Sam. et dim. de 12 h 30 à 2 h (service continu jusqu'à 23 h 30).

**Tarifs –** Midi : compter 20 €. Soir : compter 25 €.

**À noter –** Pas de réservation. Pas de groupe au-delà de 8 pers.

# La Gioconda

**Dans l'assiette** : italien
**Ambiance** : brasserie parisienne

Le sourire de Mona Lisa, on le contemple bien entendu au musée du Louvre, mais aussi sur les serviettes de *La Gioconda*, restaurant qui a choisi la muse de Léonard de Vinci comme égérie. Cette très jolie brasserie allie un style Art nouveau à des clins d'œil à l'art italien, comme le schéma de la machine volante du même Léonard reproduite au plafond. Le menu proposé est un peu cher (cf. ci-dessous), mais nul besoin d'y avoir recours pour manger à sa faim : une énorme et délicieuse pizza (de 9,30 € à 13,40 €) ou un plat de pâtes (de 9,20 € à 14,80 €) suffit largement à contenter son appétit. La famille sicilienne qui a ouvert l'établissement en 1982 propose aussi à ses hôtes des poissons, risottos, moules marinières, etc. La recette fonctionne si bien que c'est souvent « archiplein », et la réservation est donc fortement conseillée. L'hiver, on dîne à l'intérieur ou sous l'agréable véranda chauffée. L'été, le trottoir offre une terrasse idéale donnant sur une rue calme avec, juste en face, le square des Batignolles au charme d'un autre temps ; et l'on savoure alors une coupe de glaces (7,80 €) en se croyant en 1900…

➡→ **Adresse** – 1, rue Brochant (également indiqué au 18, pl. Charles-Fillion), Paris 17e, Me Brochant, tél. : 01 42 26 75 29.

🏠 **Horaires** – Ouvert tlj de 12 h à 14 h 30 et de 19 h à 23 h.

💶 **Tarifs** – Midi et soir : menu à 25 € (entrée + plat + fromage + dessert ou café). À la carte : compter 15-20 €.

**À noter** – Réservation fortement conseillée.

## Au Père Pouchet

❤ **Dans l'assiette** : traditionnel
**Ambiance** : comme à la maison

C'est une adresse qu'on conserverait bien pour soi, égoïstement, tellement on l'apprécie. Mais dans un élan de bonté, on a décidé de vous la communiquer. Faisons d'abord le point sur la situation géographique. Nous sommes aux limites nord de Paris (le nom du restaurant – *Pouchet* – vient de celui de la porte de la ville la plus proche), dans le quartier des Épinettes, où flotte un parfum d'ailleurs, un peu village. Occupant l'angle d'une rue, cet établissement accueillant propose deux cartes, une le midi, une le soir. La différence entre elles ? C'est un peu plus élaboré pour le dîner (et donc un chouïa plus cher). Mais à toute heure, on mange ici très bien. Les plats sont fréquemment renouvelés, et chacun est sûr de trouver son bonheur vu le choix proposé. À titre d'exemple, voici ce que nous avons pu relever, un midi, parmi les plats : boudin aux deux pommes, jarret de porc aux lentilles, lapin chasseur, filet de lieu noir au beurre d'abricot, andouillette AAAAA, etc. En boisson, le quart de vin (rouge, rosé, blanc) à 2,60 € est intéressant, mais on peut aussi se pencher sur la liste des vins sélectionnés directement chez des producteurs-récoltants. Il y a une terrasse (chauffée l'hiver), et côté service, sourire et professionnalisme sont au rendez-vous. *Au Père Pouchet* s'est exporté dans d'autres arrondissements de Paris (cf. pp. 58 et 91). Maintenant que vous avez toutes les informations, chut ! Pas un mot ! Gardez ça précieusement pour vous et vos amis…

➻➔ **Adresse –** 55, rue Navier, Paris 17ᵉ, M° Porte de Saint-Ouen ou Guy Môquet, tél. : 01 42 63 16 73.

📖 **Horaires** – Ouvert du lun. au sam. de 7 h à 2 h et de 10 h à minuit le dim. (2 services : 12 h-16 h et 20 h-23 h, et le dim. de 12 h à 23 h non-stop).

€ **Tarifs** – Midi : 2 formules : « plat + boisson ou café » à 10,10 € et « entrée + plat + boisson » ou « plat + dessert + boisson » à 12,60 €. À la carte : compter 10-15 €. Soir : à la carte uniquement : 20-25 €.

**À noter** – Réservation conseillée le soir.

# Ripaille

⊗ **Dans l'assiette :** bistrot revisité
   **Ambiance :** intimiste

Philippe Favré est sommelier de formation. Avec le chef Antoine Butez, un ancien de Maxence, il a ouvert *Ripaille* en octobre 2005. Le concept ? Marier les saveurs. La carte, renouvelée tous les deux mois environ, accorde la prédominance aux poissons (exemple : sandre rôti aux noisettes, aubergines au café et jus d'orange). Bien entendu, cette créativité a un coût, et le soir on ne mange pas à moins de 23 €. Pour les budgets serrés qui veulent goûter à ce bonheur, rendez-vous à l'heure du déjeuner où le restaurant propose deux formules à 11 et 15 €, avec des entrées, plats et desserts à sélectionner sur l'ardoise. Nous avons tenté l'expérience, et notre palais garde encore le souvenir indélébile d'une pomme au four aux épices accompagnée de sa glace au cidre. Tellement bon !

➟ **Adresse –** 69, rue des Dames, Paris 17ᵉ, Mᵒ Rome, tél. : 01 45 22 03 03.

**Horaires –** Ouvert du lun. au ven. de 12 h à 14 h et de 19 h à 22 h (22 h 30 le ven.), et le sam. soir de 19 h à 22 h 30.

**Tarifs –** Midi : menu à 11 € (le plat du jour ou une salade garnie + 1 verre de vin ou 1/2 eau + 1 café). Menu à 15 € (1 entrée + 1 plat + 1 café ou 1 plat + 1 dessert + 1 café). Soir : menu à 23 € (1 entrée + 1 plat ou 1 plat + 1 dessert). Menu à 29 € (1 entrée + 1 plat + 1 dessert). Entrée seule : 10 € ; plat seul : 17 €, dessert seul : 8 €.

**À noter –** Réservation indispensable le soir et fortement conseillée à midi, la salle étant petite.

# 18ᴱ ARRONDISSEMENT

## PARIS - 18ᵉ

❶ L'Anvers du décor
❷ Le Barathym
❸ Cave à Jojo
❹ Dan Bau
❺ Le Soleil gourmand

Ⓐ Boulevard de Clichy
Ⓑ Cimetière de Montmartre
Ⓒ Boulevard de Rochechouart
Ⓓ Boulevard Barbès
Ⓔ Boulevard Ney
Ⓕ Rue Marcadet

# L'Anvers du décor

**Dans l'assiette :** bistrot traditionnel
**Ambiance :** chaleureuse

*L'Anvers du décor*, envers et contre tout ! D'abord pour sa situation : près du métro Anvers (d'où son nom), à proximité du Sacré-Cœur et de la charmante place Charles-Dullin où s'élève le théâtre de l'Atelier. L'accueil est excellent, et la déco, soignée (poutres apparentes au plafond rehaussées d'une teinte bleu lagon qui met de bonne humeur, petites tomettes au sol). Dans l'assiette, place au traditionnel ! De la « cuisine français d'antan », pour reprendre les termes d'Arnaud, le responsable. En plus de la carte, renouvelée régulièrement, on a le choix chaque jour entre cinq suggestions, affichées sur une grande ardoise. Le tout permet de satisfaire tous les goûts et toutes les bourses, du croque-monsieur à 7,50 € au demi-homard avec six huîtres à 18,60 € pendant les fêtes (mais aussi : tartare, lasagnes de saumon, salades, etc.). Le « plus » de l'établissement, c'est sa programmation musicale : les dimanches après-midi, un trio de jazz manouche vient faire son bœuf, tandis que les mardis soir sont réservés à des soirées à thème (jazz ou bossa-nova).

➙ **Adresse** – 32 bis, rue d'Orsel, Paris 18ᵉ, Mᵒ Anvers, tél. : 01 42 58 17 56.

📖 **Horaires** – Ouvert d'avr. à oct., tlj de 10 h à 2 h (cuisine en continu) et de nov. à mars : tlj, sauf le lun., de 10 h à 2 h.

💶 **Tarifs** – Midi : formule à 13,50 € (plat + dessert ; 10 choix possibles : 5 suggestions du jour et 5 salades) ou à la carte. Soir : formule « Théâtre » à 19,50 € (1 suggestion du jour + 1 verre de vin + 1 café) ou à la carte.

**À noter** – Pour se faire plaisir, par exemple à l'occasion d'un repas entre copains, on peut s'offrir à partir de 38 € l'une bouteilles millésimées sélectionnées par la maison.

## Le Barathym

✗ **Dans l'assiette** : provençal
**Ambiance** : feutrée/branchée

Ne vous fiez pas au jeu de mot : au *Barathym*, on n'avale pas n'importe quoi, au contraire ! Ce restaurant, ouvert en septembre 2004 sur les pentes de la Butte Montmartre, est un délice pour ceux qui aiment la cuisine du Sud. À midi, on profite de la formule à 12,50 € basée sur les plats du jour. Le soir, on dîne à la carte. C'est plus cher, mais c'est encore plus de plaisir. Le choix est renouvelé tous les trois mois, mais on retrouve toujours les spécialités du chef : en entrée, un délicieux mille-feuilles de viande des Grisons et mozzarella accompagné de sa sauce au pistou (8 €), et du côté des plats, la marmite de poissons (14 €). Parmi les desserts, difficile de résister au moelleux et à son cœur fondant au chocolat blanc (6,50 €) ainsi qu'à la tarte Tatin à la mangue (8 €). On aime l'agencement des lieux : deux salles plus une mezzanine devenue récemment espace non-fumeur. Cette ambiance feutrée s'électrise les samedis soir, avec la présence soit d'un DJ, soit de musiciens. Les beaux jours, on mange sur la petite terrasse aménagée sur le trottoir. Pour ceux qui souhaitent se réapprovisionner en bonnes bouteilles, rendez-vous à la cave du Barathym, à deux pas du restaurant.

**⇢ Adresse –** 2, rue Ramey, Paris 18ᵉ, Mᵒ Château Rouge, tél. : 01 42 59 40 93.

**Horaires –** Ouvert tlj de 10 h à 2 h. Brunch le dim.

**Tarifs –** Midi : formule à 12,50 € (entrée + plat ou plat + dessert ; à choisir parmi les plats du jour uniquement) ou à la carte. Soir : à la carte uniquement : compter 25 €.

# La Cave à Jojo

**Dans l'assiette :** c'est bon !
**Ambiance :** bistrot à vins

Les restaurants ne manquent pas aux Abbesses, mais notre choix se porte sans hésitation sur *La Cave à Jojo*, un passionné qui a ouvert sa propre affaire il y a trois ans, après avoir travaillé quarante ans dans la restauration. La salle, où préside le comptoir, est sans chichi, et l'on s'y sent bien. Les vins, servis au verre (de 2,60 € à 3,80 €), au pot de 50 cl ou à la bouteille (de 13,50 € à 22 €), ont valu à Jojo, en 2004, la remise de la Coupe du meilleur pot, une référence chez les amateurs de bistrot à vins. Pour manger, il suffit de faire son choix sur l'une des nombreuses ardoises affichant une longue liste de bonne chère faite maison. En plus d'un plat et d'une entrée du jour qui changent régulièrement, voici un bref échantillon de ce que propose Jojo : un Croque à sa façon (tomate, jambon à l'os artisanal, pain Poilâne…), le pâté de Maman Denise (effectivement préparé par sa maman, dans l'Aude), le camembert chaud façon Micheline (une amie), des desserts (tarte aux pommes, gâteau au chocolat et sa crème anglaise, clafoutis…), des salades, etc. Personnellement, on adore son saucisson lyonnais chaud aux lentilles. Les vendredis et samedis soir, Florence vient souvent jouer de l'accordéon, et il est préférable alors de réserver.

**→→ Adresse –** 26, rue des Trois-Frères, Paris 18ᵉ, Mᵒ Abbesses, tél. : 01 42 62 58 54.

**Horaires –** Ouvert tlj, sauf le dim., de 17 h à 2 h (service continu). Fermé 3 semaines en août.

**Tarifs –** 1 verre de vin : 2,60 à 3,80 €. 1 assiette de 2 fromages à 5 €. Formule « 1 entrée + 1 plat + 1 verre de vin » à 15-20 €.
**À noter –** Réservation conseillée les ven. et sam. soirs.

# Le Dan Bau

ⓧ **Dans l'assiette :** vietnamien
**Ambiance :** feutrée/exotique

À Montmartre, dans une petite salle joliment décorée de bambous, voici un restaurant de gastronomie vietnamienne qui satisfaira les amateurs du genre. La créativité et le sérieux sont mis ici au service des saveurs traditionnelles de la région de Hanoï (crevettes au jus de coco frais à la vapeur, salade de fleurs de bananier au bœuf, bœuf sauté aux feuilles de *lôt*, rouleaux de calamar aux échalotes). D'où une addition un peu salée à la carte (entrées autour de 6,50 €, plats au prix moyen de 12,50 €) ; mais le restaurant propose deux formules très intéressantes : à midi, le menu « Fast 11 » à 10 € comprend un plateau de crudités en entrée (nems, beignets, crevettes, raviolis frits, salade au poulet), un plat à choisir parmi un porc au caramel ou au curry, ou bien un poulet au gingembre ou à la citronnelle (le plat est accompagné de riz nature ou de riz cantonais), et enfin un dessert ou un café. Le soir, on a droit pour 19,50 € au menu « EQ comme équilibre », très copieux, avec une entrée à choisir parmi une sélection, puis un assortiment de boulettes à la vapeur, suivi d'un plat, toujours accompagné d'un riz nature ou cantonais, et d'un dessert au choix. Le set de thé vert coûte 4,50 € et tous les autres thés aromatisés sont à 5 €. Particularité : en semaine, et uniquement à midi, Dan Bau offre la wi-fi gratuite aux détenteurs d'ordinateurs portables.

**Adresse** – 18, rue des Trois-Frères, Paris 18ᵉ, M° Abbesses, tél. : 01 42 62 45 59.

**Horaires** – Ouvert tlj de 12 h à 14 h et de 19 h à 23 h.

**Tarifs** – Midi : formule à 10 € ou à la carte. Soir : formule à 19,50 € ou à la carte.

**À noter** – Réservation fortement recommandée, surtout le soir.

## Le Soleil gourmand

**Dans l'assiette** : méridional
**Ambiance** : « On dirait le Sud »

Un bout de Sud à Montmartre ! Dans la salle lumineuse du Soleil Gourmand, les habitués aiment venir s'évader. Des soleils ornent le joli mobilier en fer forgé, et le souci du petit détail va jusque dans les feuilles de menthe plongées dans la carafe d'eau. La décoration, c'est d'ailleurs l'autre activité de la maison, qui propose à la vente divers objets. Dans l'assiette, les plats sont épicés juste ce qu'il faut. On déguste ici de délicieux bricks – pâte de semoule très fine, farcie puis frite – à 11 €, des tartes salées à 10,50 €, des assiettes gourmandes pour tous les goûts entre 8 et 12,50 €, une Tatin aux tomates confites accompagnée de jambon de pays et de salade à 12,50 €. etc. À midi, la maison propose un plat du jour à 11 €. Tout ceci est copieux ; on pourrait donc se passer de dessert. Mais comment ne pas craquer pour le crumble, le moelleux au chocolat noir ou encore la coupe de trois boules de glace artisanale (6,50 €) ? La seule évocation des parfums donne l'eau à la bouche : vanille à la gousse, cannelle, gingembre, pétales de rose, lait d'amande, figue, pêche de vigne.

➻➙ **Adresse –** 10, rue Ravignan, Paris 18ᵉ, M° Abbesses, tél. : 01 42 51 00 50.

**Horaires –** Ouvert tlj, sauf le lun., de 12 h 30 à 14 h 30 et de 19 h 30 à 23 h 30.

**Tarifs –** 15-20 €.

**À noter –** Salle non-fumeur. Réservation recommandée le soir et le week-end. CB non acceptée. Chaise haute à disposition pour Bébé.

# 19ᴱ ARRONDISSEMENT

**PARIS - 19e**

1. A la bière
2. La Guinguette à vapeurs
3. Valentin

A. Parc des Buttes Chaumont
B. Avenue Jean-Jaurès
C. Canal de l'Ourcq
D. Porte de Pantin
E. Rue de Crimée

# À la bière

**Dans l'assiette :** bistrot traditionnel
**Ambiance :** familiale

*À la bière*, « on y mange bien, et c'est pas cher ! » : l'inscription sur la grande ardoise met en avant les différentes formules de la maison, dont le menu qui permet, pour 13 €, de manger une entrée, un plat et un dessert (ou un café). Pour nous, ce furent des œufs mayo, une escalope à la normande accompagnée de frites, puis une tarte Tatin. Rien à redire sur la cuisine de cette grande brasserie en angle située à mi-chemin entre le parc des Buttes-Chaumont et la place du Colonel-Fabien. Ne vous attendez pas à du Bocuse, mais pour le prix, c'est tout à fait convenable. En plus, l'accueil est sympa. Entre les heures de service, on peut faire son repas de tartines Poilâne, de croques, de sandwiches ou de desserts. Les actuels patrons, qui ont repris l'affaire il y a une dizaine d'années, ont conservé le nom et la déco de leurs prédécesseurs. D'où son atmosphère rétro. En gros, ne vous attendez pas à un lieu bobo, avec petites bougies sur les tables, mais bien à une brasserie de quartier où se côtoient des habitués dans une ambiance familiale. Le vrai Paris !

**Adresse** – 104, av. Simon-Bolivar, Paris 19ᵉ, Mᵒ Colonel-Fabien ou Bolivar, tél. : 01 42 39 83 25.

**Horaires** – Ouvert tlj, sauf le 24 déc. au soir et le 25 déc., de 7 h (9 h le dim.) à 2 h (2 services : 12 h-15 h et de 19 h-0 h 30).

**Tarifs** – Menu à 13 € (midi et soir) : entrée + plat + dessert ou café. Formule « Fondue bourguignonne ou savoyarde » (+ apéritif + dessert ou café) : 19,50 € par pers. (min. 2 pers.). À la carte : compter 10-15 €.

# La Guinguette à vapeurs

**Dans l'assiette :** sain et frais
**Ambiance :** une bouffée d'air dans Paris

C'est un beau volume aux allures de loft, en plein cœur du parc de La Villette, où l'on mange sainement. Dès qu'il fait beau et chaud, c'est l'affluence assurée, en raison notamment de l'agréable terrasse au bord du canal de l'Ourcq. Pour 12 €, on déjeune à midi d'un menu frais, copieux et bien présenté (ex. : soupe de lentilles et cassoulet de lieu au basilic). Mais la spécialité, ici comme dans les deux autres adresses parisiennes (cf. pp. 25 et 54), c'est la cuisine à la vapeur : haricots verts aux fines herbes, champignons frais à l'estragon, tomates au basilic, carottes au cumin, fenouil au safran. À la carte, l'assiette est à 5 € (pour les amateurs de nourritures plus substancielles, il y a aussi des frites fraîches et de la purée maison). Les fameux légumes sont également servis en accompagnement des plats, qui coûtent environ 14 € (lapin à la moutarde, saumon sauce pistou, gambas au curry de cacahuètes, jambon à l'os sauce madère, etc.). Deux autres raisons d'apprécier l'adresse : les parfums des glaces artisanales (caramel au beurre salé, noix de coco, cannelle) et – originalité du lieu – la visite en journée d'adorables moineaux pas farouches qui volettent gentiment autour des tables.

**➺→ Adresse –** Rond-point des Canaux (au bord du canal de l'Ourcq, face à l'arrêt Batobus, au pied de la passerelle qui relie la Cité des sciences à la Grande Halle), Paris 19e, M° Porte de Pantin ou Porte de la Villette, tél. : 01 40 03 72 21.

**Horaires –** Ouvert tlj de 11 h 30 à 23 h (service continu).

Hors saison : fermeture à 18 h du lun. au mer.

🖎 **Tarifs –** Midi : menu du jour à 12 €. Soir : formule « Guinguette » (entrée + plat ou plat + dessert) à 18 €. Entrée + plat + dessert : 24 €. À la carte : compter 20 €.

**À noter –** Réservation fortement conseillée le week-end, surtout si du soleil est annoncé. Possibilité de louer la salle à l'étage pour des événements privés.

# Valentin

⊗ **Dans l'assiette :** cuisine de Belleville (explications ci-dessous)
**Ambiance :** jazzy et cool

Qu'est-ce donc que cette « cuisine de Belleville » que nous propose Michel ? À l'image d'un quartier bigarré, c'est une assiette sous influences, la sienne d'abord, franco-française, mais aussi celle de ses cuisinières thaïlandaises. Michel a aussi conservé le meilleur de son prédécesseur argentin, *Valentin*, à savoir ses viandes et sa carte de vins d'Amérique du Sud. La Thaïlande s'exprime au travers des entrées et plats de bœuf et de poisson marinés, délectables avec leur assaisonnement à la menthe, coriandre, piment et oignon. Pour la France, ce sont par exemple les tripoux, ou encore les pommes sautées maison qui accompagnent souvent les plats. Quant à l'Argentine, on la retrouve dans les « bifes », belles pièces de viande rouge qu'on déguste avec la sauce maison. Michel est une personne d'une grande gentillesse, aux petits soins pour quiconque vient chez lui. Branchée sur TSF, sa radio diffuse un jazz qui se marie parfaitement à l'atmosphère tranquille de son restaurant. Les amateurs de bande dessinée reconnaîtront plusieurs lithographies de Jacques Tardi accrochées aux murs. Et puis, jetez un œil au bar, sur lequel trônent de belles bouteilles de digestif : prune de Souillac avec son robinet intégré, calvados « Morin 15 ans d'âge », marc de Bourgogne « Authentique Jacoulot » vieilli sept ans en fût de chêne… Des flacons de collection qui font penser à ceux conservés dans la cabine du capitaine dans les romans d'aventure. À les regarder, on se croirait soudain à bord d'un trois-mâts effectuant un périple entre France et Thaïlande, via le port de Buenos Aires…

➻➤ **Adresse** – 64, rue Rébeval, Paris 19e, M° Pyrénées ou Buttes-

Chaumont, tél. : 01 42 08 12 34.

**Horaires –** Ouvert tlj sauf le dim. et le sam. midi (2 services : 12 h-15 h et 19 h-23 h 30).

**Tarifs –** Midi : formule « plat + entrée ou dessert » à 12,50 €. Formule « entrée + plat + dessert » à 15 €. Plat seul à 10 €. Soir : à la carte : compter 20-30 €.

# 20ᴱ ARRONDISSEMENT

PARIS - 20ᵉ

A Krung Thep
2 Le Royal des Landes
3 Les Trois Chapeaux

A Place Gambetta
B Boulevard Ménilmontant
C Boulevard de Charonne
D Place de la Porte de Bagnolet
E Rue des Pyrénées

# Krung Thep

**Dans l'assiette :** thaïlandais
**Ambiance :** conviviale

La famille Khamsouk, qui a ouvert ce restaurant il y a bientôt vingt-cinq ans, est originaire de Bangkok, ou plutôt de Krung Thep puisque c'est sous cette appellation – littéralement « ville des anges » – que les Thaïlandais désignent leur capitale. Mais dans le 20ᵉ arrondissement à Paris, Krung Thep fait aussi référence à une adresse où les habitués viennent déguster une cuisine raffinée : salades de viande de bœuf cru (8 €) ou de pamplemousse thaï (9 €), soupe de crevettes à la citronnelle (10 €), curry de canard à la noix de coco (10 €)… La liste est trop longue pour énumérer tous les plats de la carte (bœuf, porc, poissons, crustacés, crabe, etc.), qui sont cuisinés de mille façons et à accompagner d'un bol de riz nature (2 €) ou gluant (3 €). En dessert, les fruits frais sont un délice : mangue, lychees, ananas, rambutan et mangoustan. Les amoureux de la Thaïlande et de sa gastronomie aiment retrouver ici ce qu'ils ont découvert lors d'un voyage.

L'agencement est unique en son genre : des tables basses installées sur des estrades. Les convives y prennent place en s'asseyant sur des tabourets qu'il faut enjamber (et pour cela, mieux vaut éviter de porter une jupe étroite). L'ambiance est conviviale et propice aux conversations avec ses voisins puisqu'on est amené, lorsqu'on vient à deux, à partager sa table.

**Adresse** – 93, rue Julien-Lacroix, Paris 20ᵉ, Mᵒ Belleville ou Pyrénées, tél. : 01 43 66 83 74.

**Horaires** – Ouvert tlj, le soir uniquement, de 19 h 30 à 23 h.

**Tarifs** – À la carte : compter 20-25 €.

**À noter** – Réservation quasi indispensable. CB non acceptée. Pas de ticket restaurant. Restaurant entièrement non-fumeur.

## Le Royal des Landes

**Dans l'assiette** : spécialités landaises
**Ambiance** : familiale

Des grappes de piment d'Espelette sont joliment accrochées aux murs colorés de ce petit restaurant où Jean-Pierre Ferrier, originaire de Maylis dans les Landes, prépare lui-même les plats de sa région, dont sa terrine de foie gras, et grâce à des conserves artisanales qu'il se procure auprès de producteurs qu'il connaît bien, sert toutes sortes de spécialités landaises : cuisse de canard confite aux cèpes (14 €) ou demi-magret de canard et son foie gras poêlé (15 €), etc. On peut aussi faire son repas de salades copieuses (entre 7 et 9,50 €). À midi, la formule du jour s'inspire d'une cuisine plus traditionnelle (sauté de veau, bœuf bourguignon, etc.). Quoi qu'il en soit, l'accueil dans cette « ambassade » gasconne est toujours excellent. Pour donner une idée, si d'Artagnan et ses amis mousquetaires devaient manger quelque part, ils choisiraient sans doute cette adresse pour la qualité de ses produits et la bonne humeur qui y règne.Réservez le soir, c'est préférable, surtout si vous êtes nombreux.

➻➙ **Adresse –** 21, rue Malte Brun, Paris 20ᵉ, Mᵒ Gambetta, tél. : 01 47 97 29 31.

**Horaires –** Ouvert tlj, sauf le dim., de 6 h à 2 h (2 services : 12 h-15 h et 18 h 30-minuit).

**Tarifs –** Midi : formule à 11 € (entrée + plat + dessert) et à la carte. Soir : à la carte uniquement : compter 18-22 €.

# Les 3 Chapeaux

**Dans l'assiette :** couscous et tagines
**Ambiance :** conviviale

Aux bacheliers qui passent par son café-restaurant, Makhlouf leur dit qu'il a ses deux bacs depuis l'âge de 16 ans. Mais nous y reviendrons plus tard. Situons d'abord les lieux : une petite rue pavée, où l'on trouve encore, en plein Paris, des maisonnettes et des arbrisseaux. Un charme fou ! En poussant la porte des *3 Chapeaux*, on tombe sur une grande pièce en enfilade qui commence avec le bar, se poursuit par la salle où l'on dîne, et se termine par la scène. Car ici, du jeudi au dimanche, on vient non seulement pour manger, mais aussi pour le concert. La programmation est éclectique (chanson, électro, flamenco, jazz…), mais toujours de qualité. Beaucoup de bandes de copains se donnent donc rendez-vous ici, pour partager un couscous (de 11 à 17 €), un tajine (de 11,50 à 17 €) ou un plat africain (mafé, accras…), tout en profitant des musiciens. Près du bar se joue un autre spectacle qui vaut le coup au moins autant, sinon davantage. Faites l'expérience d'y commander un thé à la menthe ou un demi d'Amstel à 2,50 € (3,80 € la pinte). Vous y verrez Makhlouf engageant la conversation avec les clients tout en travaillant. Grâce à sa gentillesse, tout le monde est détendu et se met à causer sans chichi avec son voisin. Makhlouf est né, comme il dit, « dans un bar du 19e arrondissement » (celui de ses parents). Il sait comme personne faire perdurer le style du titi parisien : petit gilet et foulard de soie, tablier bleu noué autour de la taille… et une bonne dose de gouaille. « Oui », répète-t-il à l'envi, « j'ai eu mes deux bacs à 16 ans »… avant d'ajouter, le sourire en coin, « le bac de lavage et le bac de rinçage ». En tout cas, au niveau de l'ambiance, on lui attribue la mention très bien sans une seconde d'hésitation. En six ans d'existence, *Les 3 Chapeaux* est déjà ce qu'on appelle une institution.

➜ **Adresse** – 48, rue des Cascades, Paris 20e, M° Jourdain, tél. : 01 46 36 90 06. Site Internet – www.les3chapeaux.com.

**Horaires** – Ouvert tlj, sauf le lun., de 18 h à 2 h (service de 20 h à 23 h).

**Tarifs** – À la carte : compter environ 20 €.

**À noter** – Réservation conseillée du jeu. au dim.